사색의 부서

사색의 부서

첫판 1쇄 펴낸날 2016년 11월 9일

지은이 | 제니 오필
옮긴이 | 최세희
펴낸이 | 박남희

종이 | 화인페이퍼
인쇄·제본 | 한영문화사

펴낸곳 | (주)뮤진트리
출판등록 | 2007년 11월 28일 제318-2007-000130호
주소 | 서울시 마포구 토정로 135 (상수동) M빌딩
전화 | (02)2676-7117 팩스 | (02)2676-5261
전자우편 | geist6@hanmail.net
홈페이지 | www.mujintree.com

ISBN 979-11-85271-98-9 03840

• 책값은 뒤표지에 있습니다.

사색의 부서

제니 오필 | 최세희 옮김

Dept. of Speculation

Jenny Offill

mujintree
뮤진트리

Dept. of Speculation
by Jenny Offill

This Korean edition was published by Mujintree in 2016 by arrangement with
Union Literary through KCC(Korea Copyright Center Inc.), Seoul.

이 책의 한국어판 저작권은 (주)한국저작권센터(KCC)를 통해
저작권자와의 독점계약으로 (주)뮤진트리에서 출간되었습니다.
저작권법에 의해 한국 내에서 보호를 받는 저작물이므로
무단전재와 무단복제를 금합니다.

데이비드에게

■ 일러두기

– 이 책은 Jenny Offill의 《Dept. of Speculation》(Vintage Books, 2014)을 우
리말로 옮긴 것이다.
– 본문에 나오는 도서나 영화 등의 제목은 원 제목을 번역 표기하는 것을 원
칙으로 하되, 국내에 번역 출간 및 소개된 작품은 그 제목을 따랐다.
– 이 책의 모든 주석은 옮긴이주다.

우주를 사색하는 자는 광인과 다를 바 없다.

-소크라테스-

01

영양羚羊은 시력이 인간의 열 배라고, 당신은 말했지. 최저시력이나, 최저시력에 가까운 게 그 정도라고. 그렇다면 영양들은 맑은 날 밤엔 토성의 고리까지 볼 수 있을 거야.

당신이 그 얘길 했을 때는 우리가 서로 모든 걸 터놓고 얘기하기 몇 달 전이었어. 그리고 그때조차 어떤 것들은 너무 사소해서 굳이 신경을 쓸 필요가 있을까 싶었어. 그런데 왜 이제 와서 그것들이 날 찾아와 괴롭히는 걸까? 하필이면, 내가 모든 것에 진력이 나 있는 지금.

기억이란 미시적이다. 다 함께 몰려다니고 서로 떨어져나가는 미립자들. 에디슨은 그것들을 작은 사람들이라고 일컬었다. 독립체들. 에디슨은 미립자들의 근원에 관한 이론을 세웠으니, 우주공간이라는 이론이었다.

맨 처음 혼자서 여행을 떠났을 때의 일이다. 한 식당에 들어가서 스테이크를 시켰다. 그러나 정작 나온 건 잘게 썰어놓은 날고기 한 조각이 전부였다. 난 어떻게든 그것을 먹으려 했지만, 피가 흥건해서 삼키려고 해도 넘어가질 않았다. 결국 씹던 고기를 냅킨에 뱉어버렸다. 접시엔 여전히 고기가 남아 있었는데, 혹여 웨이터가 내가 먹지 않는 걸 눈치채고 웃거나 고함치면 어쩌나 겁이 났다. 나는 한참을 자리에 앉은 채 접시를 바라보고 있었다. 그러다 롤빵 하나를 집어 속을 다 파낸 다음 그 안에 고기를 숨겼다. 아주 작은 핸드백 하나만 들고 왔지만, 그 안에 롤빵을 보이지 않게 집어넣을 수 있을 거라고 생각했다. 계산을 한 후 식당 밖으로 나오면서 누군가 막아설 거라고 생각했지만, 그러는 사람은 없었다.

오후에는 도시 공원에서 시간을 보내며 호라티우스를 읽

는 척했다. 땅거미가 지면 사람들은 메트로에서 거리로 쏟아져나왔다. 파리에선 지하철마저도 아름답지 않으면 안 된다. 황급히 바다를 가로지르는 자들은 머리 위 하늘을 바꿀지언정, 그들의 영혼을 바꾸지는 않는다.*

오트밀만 먹는 캐나다 소년이 한 명 있었다. 내 이를 검사해도 되느냐고 물었던 프랑스 소년. 드루이드 계보 출신의 영국 소년. 보청기를 팔던 네덜란드 소년.

호주에서 온 남자 한 명을 만난 적이 있다. 그는 혼자서 여행하는 걸 좋아한다고 했다. 바닷가에서 함께 술을 마실 때, 그는 자기가 하는 일에 대해 이야기했다. 학생이 가르쳐준 대로 이해할 때, 그의 얼굴에 처음으로 이해하는 표정이 떠오를 때 소름 끼치게 아름다워요, 그가 내게 말했다. 나는 고개를 끄덕였고, 감동했다. 누구에게 무엇 하나 가르쳐본 적이 없는 주제에. 뭘 가르치는데요, 나는 물었다. 롤러 블레이딩이요, 그가 말했다.

---

* 호라티우스의 6보격 시행으로 라틴어 원문은 'Caelum non animum mutant qui trans mare currunt'이다.

그해 여름엔 비가 내리고 또 내렸다. 내 스웨터에서 청승맞은 개 냄새가 나던 것과 신발에서 물이 미친 듯이 철벅거리던 것이 기억난다. 그리고 어느 도시나 풍경이 똑같았던 것도. 입구에 서 있는 소녀가 비를 맞지 않도록 거리로 발을 내디디며 우산을 펼치던 소년도.

다른 날 밤. 내가 살았던 브루클린의 오래된 아파트. 야심한 시각이었지만, 당연히 나는 잠을 이룰 수 없었다. 내 머리 위로, 신이 나서 뭔가를 분해하던 속도광들. 창문에 부딪던 나뭇잎들. 갑자기 한기가 느껴져 나는 담요를 머리 위까지 끌어당겨 덮었다. 불이 나면 말들 머리에 담요를 씌워서 밖으로 끌어낸다는 게 기억 났다. 말들은 눈이 보이지 않으면 겁을 내지 않는다. 내가 머리 위까지 담요를 뒤집어쓴 건 그렇게 하면 마음이 더 차분해지는지 알고 싶어서였다. 알아낸 답은, 그렇지 않다는 것이었다.

02

　한 과학 잡지사에서 사실을 확인하는 업무를 맡게 되었
다. 재미있는 사실들, 이라고 잡지사에선 말했다. 인간의 뇌
안에 서로 연결된 섬유질들은 길게 펴면 지구를 40번 감을 수 있
다, 같은. 내가 페이지의 여백에 무섭다, 라고 쓴 것을 무색
하게 잡지사에서 그대로 통과시켰다.

　모든 창턱이 길과 같은 높이인 내 아파트가 나는 좋았다.
여름엔 창문 밖으로 오가는 사람들의 신발들을 볼 수 있었
다. 한번은 침대에 누워 있는데, 환하게 붉은 해가 창문 안
에 걸린 적이 있었다. 해는 한쪽 끝에서 반대쪽 끝으로 굴러

가선 공이 되었다.

인생은 구조構造에 활동을 더한 것이다.

독서가 신경계를 엄청난 강도로 혹사시킨다는 연구 보고
가 있다. 한 정신의학 저널에서 주장한 바에 따르면, 몇몇
아프리카 부족들은 읽는 법을 배운 후 평소보다 수면 시간
이 늘어났다. 제2차 세계대전 당시, 강도 높은 육체노동에
임한 사람들과 읽기와 문서 작성 관련 일을 한 사람들에게
가장 많은 배급량이 지급되었다.

내 책상 위에는 몇 년 동안 포스트잇 메모 한 장이 붙어
있었다. 거기엔 '사랑 말고 일!' 이라고 적혀 있었다. 일이 더
견고한 종류의 행복인 줄 알던 때였다.

길거리에 놓인 상자 안에서 《생존이 아닌 번영》이란 책을
발견했다. 난 그 자리에 서서, 딱히 마음이 동하는 것도 아
니면서 페이지를 획획 넘겨보았다.

당신 생각엔 현재 겪고 있는 정신적 고뇌가 영원할 것 같

겠지만, 태반의 사람들에겐 일시적인 상태에 지나지 않는
다.

(하지만 내가 특별한 사람이라면? 내가 소수라면?)

나는 스스로에 대해 여러 견해를 갖고 있었다. 대체로 검
증되지 않은 견해들. 어렸을 때 나는 막대기들을 가지고 커
다란 글자를 만들어 내 이름을 쓰는 것을 좋아했다.

콜리지의 말. 만약 내가 스스로를 엄청나게 기만하지 않는
다면, 나는 지금까지도 시공의 관념에서 완전히 벗어나지 못
하고 있을 것이다. (⋯) 그러나 나는 내가 조만간 더 많은 일
을 해내리라 믿는다. 다시 말해, 내 오감을 모두 발전시킬 수
있을 것이다. (⋯) 그리고 이런 발전을 발판으로 인생과 의식
의 과정이 품고 있는 수수께끼를 풀 수 있을 것이다.

나는 무슨 일이 있어도 결혼은 하지 않을 작정이었다. 대
신 괴물 예술가가 되고자 했다. 여자가 여간해선 괴물 예술
가가 되기 힘든 건, 괴물 예술가는 오로지 예술에만 천착할
뿐 세속엔 관심이 없기 때문이다. 나보코프는 자기 우산조

15

차 펼치는 법이 없었다. 우표를 붙일 땐 베라가 그를 대신해 침을 묻혀주었다.*

대담한 계획이라고, 내 친구 철학자는 말했다. 하지만 나는 스물아홉 번째 생일에 내 책을 탈고했다. 제목은 《스스로를 엄청나게 기만하지 않는다면…》이다.

어느 파티에서 나는 정신을 잃을 정도로 술을 마셔댔다.

동물들은 외로울까?
그러니까 사람 말고, 다른 동물들은.

그런 지 얼마 되지 않아서, 전 애인이 나의 집 문간에 나타났다. 보아하니 커피 한잔 하려고 샌프란시스코에서 먼 길을 온 것 같았다. 작은 식당으로 가는 길에 그는 나를 진실로 사랑한 적이 없다며 사과했다. 그러면서 보상해주고 싶다고 말했다. "잠깐만." 나는 말했다. "지금 다시 시작하자는 거야?"

---

* 나보코프는 《롤리타》로 유명한 러시아의 작가를 말하며, 베라는 그의 아내다.

그날 밤 티브이에서 내가 하고 싶었던 문신을 보았다. 고통이 뭔지 한 번도 느껴본 적이 없다면, 날 사랑해주오. 이 방면에선 러시아 살인자가 날 앞질렀다.

당연히, 난 뉴올리언즈의 그 모주꾼 소년을 생각했다, 내가 가장 사랑했던 남자를. 그때, 선원들이 드나드는 그 오래된 술집에서, 매일 밤 나는 그의 술병 라벨들을 떼어내면서 그를 꼬셔서 내 집으로 데려가려고 했다. 하지만 그는 넘어오지 않았다. 햇빛이 창문으로 비쳐 들어오기 전까지는.

그가 너무도 아름다워서 나는 그가 잘 때면 언제나 그 모습을 지켜보았다. 그가 날 어떻게 바꿔놨는지 간단히 말하라면 이렇게 말하겠다. 그로 인해 나는 라디오의 온갖 거지 같은 노래들을 따라 부르게 되었다고. 그가 날 사랑했을 때나, 사랑하지 않았을 때나.

마지막으로 함께한 그 몇 주 동안, 우린 더위에서 도망치려고 말 없이 차를 몰고 나갔다. 이미 꿈이 되어버린 그 도시에서 제각기 혼자가 된 채. 난 말을 꺼내기는커녕 그의 팔에 손대는 것조차 엄두가 나지 않았다. 이 표지판을 기억하기를, 이 나무를, 이 망가져버린 거리를. 이런 기분을 맛볼 수도 있음을 기억하기를. 달력엔 이십 일이 남아 있었다. 그런 후엔 십오 일이, 그런 후엔 열흘이, 그런 후 그날이 되자 난 차에 짐을 싣고 떠났다. 나는 두 개의 주州를 차로 횡단하는 내내 흐느껴 울었다. 열기가 손이 되어 내 가슴을 때리는 듯했다. 그러나 나는 기억하지 못했다. 내가 그랬음을 기억하지 못했다.

03

가만히 서 있으면 인간이 내는 소리가 일체 들리지 않는
곳을 찾아 전 세계를 여행하는 남자가 있다. 그는 도심에선
도저히 평온해질 수 없다고 믿는데, 도시에선 여간해선 새
소리를 듣기 어렵기 때문이라는 것이다. 우리의 귀는 진화
해 우리의 경보시스템이 되었다. 노래하는 새가 단 한 마리
도 없는 곳에서 우리는 초경계태세에 들어간다. 도시에서
산다는 건 끊임없이 움찔하는 것이다.

불교신자들은 말한다. 의식意識에는 백스물한 개의 상태
가 있다고. 이 가운데, 단 세 개에만 고통이나 괴로움이 들

어 있다. 우리 대부분은 이 세 개의 상태를 오락가락하며 주어진 시간을 보낸다.

큰어치는 매주 금요일은 악마와 함께 지내요, 공원에서 만난 노부인이 내게 말했다.

"언니는 사람을 바보로 만드는 그 도시에서 벗어나야 돼." 동생이 말했다. "맑은 공기 좀 쐬라고." 사 년 전, 동생과 제부가 떠났다. 그들은 펜실베이니아 델러웨어 강가의 다 쓰러져가는 낡은 집으로 이사를 갔다. 작년 봄, 동생은 아이들을 데리고 우리 집에 놀러왔다. 우린 다 함께 공원에 갔다. 동물원에도 갔다. 천문대에도 갔다. 아직까지도 그들은 그때의 기억에 진저리를 친다. 여기선 왜 다들 소리를 질러대는 거지?

철학자의 아파트는 나에게 가장 평화로운 곳이었다. 그는 조용한 블록에서 살았고, 그의 집은 아침에 볕이 잘 들었다. 우리는 일요일마다 그곳에서 지내며 팬케이크와 달걀을 먹었다. 그는 이제 라디오방송국에서 임시직으로 밤늦게까지 일을 한다. "언제 내 동료 한번 만나볼래? 도시의 소리풍경

soundscape을 만드는 일을 하는 친구거든." 나는 그의 집 창 밖 비둘기들을 바라보다가 말했다. "그게 도대체 무슨 일인 데?"

그가 내게 집에 가져가라며 시디를 한 장 주었다. 시디 재킷은 빗물에 젖어 얼룩진 오래된 누런색 전화번호부였다. 나는 두 눈을 감고 열심히 들었다. 이 사람 누구지? 나는 궁 금해졌다.

04

당신에게 차이나타운에서 내가 가장 좋아하는 것을 주었
어, 취해선 당신 손 안에 욱여넣었지. 그 첫날 밤, 우리는 내
집 부엌에 있었다. '아름다운 거즈 마스크.' 포장에 쓰여 있
던 말.

그다음 날 아침, 나는 철학자의 아파트로 갔다. "맙소사,
무슨 짓을 한 거야?" 내가 말했다. 그는 아침식사를 만들어
주면서 데이트한 이야기를 해주었다. "오 년 후에 자기가
어디에 있을 것 같아요?" 그 여자가 그에게 물었단다. "십
년 후는요? 십오 년 후는?" 그가 걸어서 그 여자를 집까지

바래다줄 즈음, 그들은 삼십 년 후까지 이야기를 한 상태였다. 나는 그에게 오리와 곰이 데이트한 이야기 같다고 말했다. 철학자는 내 말을 곰곰이 생각하더니 말했다. "그보다는 오리와 마티니 같은데?"

당신이 내게 전화했어. 내가 당신에게 전화를 했어. 놀러와요, 놀러 와요. 우린 서로에게 그렇게 말했지.

난 당신이 날씨를 두려워하지 않는다는 것을 알게 됐어. 비가 오건 눈이 오건 진눈깨비가 날리건, 당신은 이 소리 저 소리를 녹음하며 도시를 걸어 돌아다니고 싶어 했어. 난 요긴한 주머니가 잔뜩 달린 더 따뜻한 코트를 샀어. 당신은 주머니마다 손을 집어넣어봤지.

자정의 라디오에서 당신 목소리를 들었어. 한번은 당신이 핵분열이 이루어지는 소리를 녹음한 것을 들려주었지. 또 언젠가는 나뭇잎 사이로 부는 바람 소리를 들려주었고. 현지 녹음, 이라고 당신은 말했어. 내 아파트는 견딜 수 없이 추워서 난 주로 침대에 누워 이불을 턱까지 끌어올린 채 당신이 나오는 방송을 들었어. 모자와 장갑을 쓰고 두툼한 양

털로 만든 남성용 양말을 신고서. 어느 날 밤엔가 당신은 날 위해 녹음한 소리를 들려주었어. 그건 코니아일랜드에서 갈매기 떼 울음소리에 뒤덮인 아이스크림 트럭의 소리였어. 원더 휠*이 돌아가는 소리도 들렸지.

도시에 살면서 망원경을 갖고 있다는 건 바보 같지만, 그래도 우린 하나를 샀어.

그해 여행에서 난 혼자가 아니었어. 우리 거기서 만나자, 당신은 말했어. 하지만 기차역에서 우리가 서로를 알아봤을 땐 밤이 늦은 시간이었지. 당신은 10달러를 주고 머리를 자른 모습이었어. 난 출발했을 때보다 살이 더 쪄 있었고. 우리가 실수로 세계를 횡단했다고 해도 말이 될 것 같았어. 우리는 판단은 유보하고자 했지.

카프리로 가는 배를 탔을 때 우린 둘 다 어디로 가고 있는지 알지 못했어. 4월 초여서 찬 이슬비가 안개처럼 바다를 뒤덮고 있었지. 부두에서 케이블카를 타고 올라가서야

---

* 뉴욕시 브루클린에 위치한 코니아일랜드에 있는 놀이공원의 회전관람차.

관광객은 우리뿐이라는 것을 알았지. 이른 시간에 오셔서 그래요, 차장이 어깨를 으쓱하며 말했어. 거리마다 라벤더 향이 났고 차가 한 대도 보이지 않는다는 걸 우리 둘 다 한참 동안 눈치 채지 못했지. 우리는 싼 호텔에 묵었지만 창밖으론 내 평생 처음 보는 절경이 펼쳐져 있었어. 바다색이 눈이 시릴 만큼 새파랬잖아. 바다 위로 검은 바위투성이 절벽이 돌출해 있었고. 난 울고 싶었지, 그런 곳에 두 번 다시 올 수 없으리라는 게 자명해서. 탐험을 시작해볼까요, 당신이 말했어. 내가 그런 표정을 지을 때마다 당신은 늘 그렇게 말했지. 절벽가를 따라 한참을 가던 우리는 어느 버스 정류장에 이르렀어. 거기서 우린 함께 기다렸지, 서로 손을 잡은 채, 말없이. 그때 나는 이렇게 아름다운 곳에서 살면 어떤 기분일까 생각하고 있었어. 내 뇌가 고쳐질까? 버스가 와서 섰어. 한 버스를 세 사람이 관리하고 있었어. 한 명은 차표를 팔고, 다른 한 명은 승객들을 인솔하고, 나머지 한 명은 운전을 하고. 우리는 그게 참 좋았지. 버스를 타고 섬의 한쪽 끝까지 멀리 갔는데, 그곳 사람들은 유독 호기심 어린 표정으로 우리를 쳐다보았어. 한 가게에서 나는 '브루클린'이란 상표의 껌을 보았고, 당신은 그걸 사서 내게 줬지.

05

영양 디오라마*를 지나치게 되었을 때 내가 말했지. "열
배." 하지만 당신은 날 보려고 하지 않았어. "왜 그래?" 내
가 물었어. 아무것도 아냐, 아무것도. 하지만 나중에, 보석
전시실에 들어갔을 때 당신은 한쪽 무릎을 꿇었지. 우리를
둘러싼 모든 것들이 반짝거리는 그곳에서.

헤시오도스**의 조언. 주변 여자들 중 한 명을 골라 꼼꼼

---

* 특정한 배경을 그린 막 앞에 여러 가지 물건을 배치하고 조명을 이용해 입체적인 느
낌이 나게 하는 장치.
** 기원전 8세기경의 그리스 시인.

히 살펴보라. 네 신부가 이웃의 웃음거리가 되지 않도록. 남자에게 훌륭한 아내만큼 좋은 것은 없으며, 나쁜 여자와 혼인하는 것만큼 끔찍한 것도 없다.

그런 후 우리는 재빨리 빌린 방에 들어가, 빌린 침대로 푹 들어갔어. 바깥에서는, 우릴 한 번이라도 사랑했던 사람들은 거의 한 명도 빠짐없이 기다려야 했지. 당신은 내 손을 잡았고, 입을 맞추면서 말했어. "우리가 뭘 한 거지? 도대체 우리가 무슨 짓을 한 거냐고?"

우리가 맨 처음 만났을 때, 나는 고질적인 기침으로 고생하고 있었어. 흡연자의 기침이었지, 난 담배를 피우지도 않았는데. 이 병원 저 병원을 전전했지만 어떤 의사도 고치지 못했어. 초기에는 시도 때도 없이 기침하는 게 싫어서 참느라 정말 힘들었어. 밤에 당신 옆에 깨어 누워 있을 때는 온 힘을 다해 참았어. 결핵에 걸린 건 아닌가도 생각했지. 여기 물에 제 이름 새긴 자가 누워 있노라*, 라는 글귀도 떠올려보며

---

* 명성과 생은 한순간에 지나지 않는다는 뜻으로, 프랜시스 버몬트와 존 플레처의 희곡 〈필라스터Philaster or Love lies a-Bleeding〉(1611)에 근원을 둔 대사로, 이후 시인 키츠의 묘비명에 변형되어 쓰였다.

기분 좋게 생각했어. 하지만 결핵도 아니었어. 우리가 결혼하기 무섭게 기침은 완전히 잦아들었으니까. 그렇다면, 원인이 무엇이었을까? 궁금해.

외로움?

침대에 누워 있으면, 당신은 두 손으로 내 머리를 고이 감싸 받쳐주었어. 내 머리에 연약한 부분이 있어서 보호해야 할 것처럼. 내 옆에 꼭 붙어 있어, 당신은 그렇게 말했지. 왜 그렇게 멀리 있어?

집을 가져야 하는 이유는 일부 사람들만 안에 있고 나머지는 모두 밖에 있게 하기 위함이다. 하나의 집은 하나의 주변 영역을 갖고 있다. 그러나 그 영역은 이웃, 걸스카우트, 여호와의 증인들에게 가끔씩 침범당한다. 나는 초인종 울리는 소리가 반가웠던 적이 한 번도 없다. 내가 좋아했던 사람들은 결코 그런 식으로 나타난 적이 없었다.

집 안에서 침입해오는 것들도 있다. 쥐들, 사방에서 나타나는 쥐들. 우리는 한 달 동안 고양이를 빌렸다. 잔혹한 이

쥐잡이꾼은 모든 쥐를 남김없이 사냥해 먹어치웠다. 이름이 칼이었던 그 고양이가 부엌에서 밤새도록 쥐 뼈를 아드득 씹는 소리가 들렸다. 기분 나쁜 소리여서 차라리 쥐들이 허둥지둥 돌아다닐 때가 나았다는 생각이 들 정도였다. 내가 사랑했던 뉴올리언스의 소년이 자기 아버지는 쥐를 끓는 물에 넣어 죽인다는 이야기를 해준 적이 있다. 그때는 너무 놀란 나머지 그가 어떻게 쥐를 잡았는지, 혹은 왜 그런 방식으로 죽였는지 묻지 못했다가, 나중에 궁금해졌다. 그의 아버지는 타국 출신이었는데, 어쩌면 그의 나라에선 그런 식으로 처리했는지도 모를 일이다.

예전에 낡은 아파트에서 살았을 때, 그곳 쥐들은 아예 대놓고 신나게 뛰어다녔잖아. 놈들은 아무것도 두려워하지 않았고, 불을 비춰도, 심지어 빗자루를 봐도 마찬가지인 듯했어. 놈들은 내 집 식품저장실에서 살았고, 어느 날 밤 우리가 침대에 누워 있는 동안 그곳 문이 경첩에서 떨어져나와 쿵 소리를 내며 바닥으로 떨어졌어. "저것들이 공성 망치라도 갖고 있는 모양인데." 그때 당신은 말했지.

06

그와 새 아파트를 보러 갔을 때 그의 어머니가 와 있었
다. 그녀가 길 건너편에 있는 교회를 가리켰다. 창밖으로 몸
을 조금만 내밀어도 십자가의 예수가 보이는 것에 그녀는
흡족해했다. 좋은 징조라는 생각에서였고, 그 생각은 자기
아들이 더는 예수를 믿지 않는다는 사실에도 반감되지 않
았다.

새로 살게 될 아파트를 처음 봤을 때 마당이 있다는 사실
에 우린 흥분했지만, 정작 필요도 없는 커다란 정글짐 때문
에 발 들일 틈조차 없는 것에 이내 실망했다. 하지만 나중

에 임대차계약서에 서명을 할 즈음 정글짐이 있다는 것에·
행복해졌다. 내가 임신했음을 알게 되면서 정글짐의 용도를
상상할 수 있게 된 것이었다. 하지만 그 집으로 이사를 했을
때 우리는 아기의 심장이 멈춘 것을 알게 되었고, 그 후 창
밖으로 정글짐이 보일 때마다 슬펐다.

그날이 기억 나. 회사에서 집까지 50달러를 주고 택시를
타고 온 당신은 현관 앞에서 내가 더이상 덜덜 떨지 않을
때까지 안아주었지. 우리는 사람들에게 이미 전했던 소식을
철회할 수밖에 없었어. 내가 부담을 느낄까봐 당신이 알렸
고. 그런 후, 그동안 내가 먹으면 안 됐던 음식들을 전부 요
리해 저녁 식탁에 올렸던 당신. 소금에 절인 고기, 저온살균
하지 않은 치즈. 와인 두 병, 그러고 나서야 비로소 잠자리
에 들었지.

난 집 창문 밖 새들에게 모이를 주었다. 참새들이라고, 난
생각했다.

Q. 참새는 이 나라가 원산지인가?
A. 지금은 그렇지만, 그리 오래지 않은 과거의 미국엔 참

새가 없었다.

Q. 왜 이 나라에 참새를 들여오게 된 걸까?
A. 병충해로 수없이 많은 나무가 죽자 벌레를 잡아먹을 참새들이 필요했다.

Q. 그래서 참새들이 나무들을 구했나?
A. 물론. 나무들은 구제받았다.

Q. 겨울에 벌레들이 한 마리도 없고, 땅이 눈에 덮이면 참새들이 힘들지 않나?
A. 맞다. 매우 힘들다. 그래서 많은 참새들이 굶어 죽는다.

백발에 콧수염이 난 그 여자가 라이트 에이드*에 오는 날은 늘 줄이 밀렸다. 어느 날은 제산제 하나를 사려고 십오 분을 기다린 적도 있다. 다시 임신한 후 나는 제산제를 하루에 한 갑은 삼켰다. 그러나 내 산만 한 배를 보고도 그 여자는 눈 하나 꿈쩍 하지 않았다. 그녀는 서두르는 법이 없

---

* 미국의 약국 체인.

었다. 어느 날 오후, 그 여자가 잘생긴 청년 직원에게 자신이 고른 물품들을 하나하나 보여주는 것을 지켜보고 있을 때였다.

"운 좋은 줄 알아요." 여자가 청년에게 말했다. "아직 앞날이 창창하잖아. 내 여동생과 난 둘 다 천재 IQ거든. 난 코넬대를 나왔어요. 코넬대 알죠?"

직원은 미소를 지었지만 고개를 흔들며 모른다는 표시를 했다.

"아이비리그 대학 중 하나인데. 그건 중요하지 않아요. 그래봤자 결국에 가선 다 무용지물이 되니까."

그는 조심스럽게 여자가 산 것들을 봉투에 담았다. 치약, 가려움증 완화 크림, 싸구려 캔디. "안녕히 가세요." 약국을 나서는 여자에게 그가 말했지만, 정작 그녀는 문간에서 가지 않고 서성였다. "다음에 나오는 날이 언제예요?" 여자가 그에게 물었다. "아직 남은 일이 있어요?"

07

아기는 눈 색깔이 짙었다. 거의 검은색에 가까웠고, 한밤
중에 일어나 젖을 먹일 때면 내 몸이 마치 바닷물에 떠밀려
당도한 섬이나 되는 듯 어리둥절한, 난파당한 사람 같은 눈
으로 나를 골똘히 올려다보았다.

마니교도*들은 이 세계가 감금된 빛으로 가득 차 있다고
믿었다. 그 빛은 더이상 존재하고 싶지 않아 자멸한 어느

---

* 3세기 초 조로아스터교를 근간으로 기독교, 불교, 바빌로니아 원시 종교를 더해 창시
된 일종의 자연종교로 바빌로니아 사람인 마니가 창시자다.

신에게서 떨어져나온 조각들이었다. 그리고 그 조각들이 인간과 동물과 식물의 내면에 갇혀 있는 것이 발견되었으니, 그 빛을 해방하는 것이 곧 마니교의 사명이었다. 그런 이유로 그들은 성행위를 삼갔고, 아기들을 갇힌 빛의 새 감방이라고 보았다.

"내 딸에게 주려고요." 처음 보는 사람에게 처음 이 말을 했던 때를 기억한다. 체포될 위기에 처한 사람처럼 내 심장이 걷잡을 수 없이 빨리 뛰고 있었다.

처음 얼마간은 먹을 것이나 기저귀가 당장 필요할 때에만 간신히 아기를 데리고 집을 나설 수 있었고, 나간다 해도 라이트 에이드에서 한 발짝도 더 가지 못했다. 라이트 에이드까지는 우리 아파트에서 한 블록 거리였다. 나에겐 거기까지가 아기를 안은 채 맹추위를 뚫고 갈 수 있는 최대한의 거리였다. 혹여 아이가 또 울기 시작하면 집으로 돌아가야 했기 때문에 내가 전력으로 달려갈 수 있는 최장 거리이기도 했다. 이렇게 계산해두는 것이 중요했던 건 당시 아이가 시도 때도 없이 울어댔기 때문이다. 이웃들이 우리를 보면 눈길을 피할 정도로, 내 머릿속에서 자동차 도난 방지 경보장치가 끊임없이 울려대는 게 아닌가 싶을 정도로.

당신이 출근한다고 나가고 나면 그 문을 빤히 바라보곤
했어. 혹시라도 열리지 않을까 싶어서.

딸아이를 사랑하는 나의 마음은 비운의 것, 보상받을 희
망이 없는 것이었다. 이런 감정에 바치는 노래가 있어야 하
는 것 아닐까 나는 생각했지만, 실제로 있다 한들 내가 알았
을 리 없다.

그때만 해도 아기가 작아서 당신 가슴 위에서 잠이 들었
지. 당신이 두 팔을 들면 아기가 깨어날까 봐 내가 당신에게
저녁밥을 떠 먹여준 적도 가끔 있었어.

아기가 가장 좋아한 건 스피드였다. 아이를 데리고 외출
하면 나는 빨리 걷다 못해, 아예 총총걸음을 치지 않으면 안
되었다. 내가 속도를 늦추거나 멈춰 서면 아이는 또 소리 내
울기 시작했다. 뼈를 에는 겨울 추위 속에서 어떤 날은 몇
시간 동안, 조용히 노래를 부르며 걷거나 총총걸음을 친 적
도 있었다.

오늘 뭐 했어, 퇴근한 당신이 그렇게 물어보면 나는 텅 빈 하루를 애써 꾸며내느라 너무도 힘이 들었어.

수면박탈에 관한 연구서를 읽은 적이 있다. 연구자들은 물을 채운 웅덩이 한가운데에 고양이 크기만 한 모래섬들을 쌓은 후, 그 위에 기진맥진한 고양이들을 올려놓았다. 처음에 고양이들은 모래 위에서 몸을 공처럼 말고 잤지만, 결국엔 대자로 드러누웠고, 급기야 물에 빠져 잠에서 깨어났다. 연구자들이 정확히 뭘 증명하려 했던 건지는 기억나지 않는다. 내가 기억하는 건 그 고양이들이 미쳐 날뛰었다는 것뿐.

아기와 함께 지내는 날들은 길게 느껴졌지만, 밖으로 연결되는 출구는 전혀 없었다. 아기를 돌본다는 것은 내게 언뜻 보기에 다급하면서도 지루한 일련의 고된 일들을 반복해야 함을 의미했다. 그러다 보면 하루는 잘게 쪼개져 부스러기가 되어버렸다.

그리고 그 말―'아기처럼 잔다'는 말. 일전에 지하철에서 어느 금발머리가 아무렇지도 않은 듯 그 말을 입에 올렸다.

나는 그 여자 옆에 드러누워 그녀의 귀에 대고 다섯 시간 동안 비명을 질러대고 싶었다.

하지만 아기의 머리 냄새. 내 손목을 감아쥐는 딸아이의 손길. 그것들은 마치 치료약과 같았다. 그런 때만큼은 생각을 할 필요가 없었다. 그 동물은 우월했다.

배앓이하는 아기조차 곤히 재운다고 장담하는 시디를 온라인으로 샀다. 들어보니 거인의 심장이 고동치는 소리 같았다. 탈출은 꿈도 꿀 수 없는 심장 안에서 어쩔 수 없이 살아야 했던 것 같은 기분이 들었다.

어느 날 밤이더라, 그 시디를 틀어놓고 있는데 우리의 친구 R이 방문했지. "와, 이런 거지같은 테크노 음악을 듣고 있다니." 그가 말했어. 그는 내가 아기를 눕혀놓은 소파에 앉아 맥주를 마셨어. R의 직업은 세계를 여행하고, 미래에 관해 이야기하고, 어떻게 그런 미래를 앞당길 수 있을까에 관해 이야기하는 것이었지. 난 그때 현관 앞을 왔다 갔다 하면서, 그가 모든 것의 종말에 대해 당신에게 이야기하는 것을 들었어. 배의 발명은 난파의 발명이기도 해, 그는 말하고 있었지. 스무 걸음 앞으로 갔다가, 다시 스무 걸음 뒤로. 쿵, 쿵, 쿵, 쿵, 음악은 계속 흘러나왔어. 하지만 심장박동 노래는 아기를 화나게만 했지. 아기는 끊임없이 울어댔어. "이거 심한데." 그런 상황이 한두 시간 계속되자 R이 말했지. 이제 더이상 우리의 친구라고 할 수 없는 R. 그렇게 된 건 바로 그날 밤부터였어.

08

그러던 어느 날 나는 한 가지 놀라운 사실을 발견했다. 아기가 라이트 에이드에만 가면 조용해진다는 것이었다. 그 곳의 쨍한 조명과, 가득 들어찬 선반들이 마음에 드는 모양 이었다. 십오 분, 어쩌면 이십 분 동안 그곳에서 아이는 세 상에 가하는 모진 판단을 잠시 유보하고 아무 소리도 내지 않았다. 그러자 내 머릿속에서 아주 작은 공간 하나가 투명 해지면서 나는 다시 생각이란 걸 할 수 있었다. 그래서 나 는 딸아이를 데리고 매일 그곳에 가기 시작했고, 약국에서 트는 진저리쳐지는 음악이 흘러나오는 동안 비좁은 통로를 천천히 오갔다. 그곳의 전구들과 감기약과 쥐덫을 가만히 바라보노라면, 모든 것이 생경하고 쓸모없게 느껴졌다. 그런 기분을 마지막으로 느꼈던 건 조지아 주 서배너에 살던 열여섯 살 때였다. 그때 나는 좀먹은 드레스를 입고 다녔고 스스로 실존주의자라고 믿었다. 그 시절의 하루도 길었다.

어느 날 딸아이와 약국으로 가는 길에 개를 산책시키는 이웃과 우연히 마주쳤다. 그는 이 세상에서 내 딸을 뺀 모든 것을 증오하는 것 같았다. 그가 시인하며 말했다. "심각한 표정을 지으면 바보들이 꼬이지 않거든요." 아기가 텅 빈 눈으로 그를 쳐다보았다. 살짝 아르릉 소리를 냈는지도 모르겠다. 그는 아이가 자기 개를 쓰다듬어주길 바랐다. 뾰족한 징이 박힌 목줄을 한, 덩치가 집채만 하고 음울한 마스티프를. "착한 개예요." 그가 내게 말했다. "주정뱅이랑 흑인을 싫어하고 스페인 사람이라고 환장하지도 않아요."

아기가 잘 때 자라, 고 사람들은 말한다. 화난 채 잠들지 말라고.

내게 염력이 있다면, 이 스푼을 움직여 저 아기에게 음식을 떠먹일 텐데.

먼 곳에 사는 내 가장 친한 친구가 날 보러 왔다. 브루클린까지 오는 데 비행기를 두 번, 기차를 한 번 탔다. 내가 사는 아파트 근처의 술집에서 만난 우리는 육아도우미의 시곗바늘이 째깍거리는 가운데 황급히 술을 마셨다. 옛날엔 책과 다른 사람들에 관해 대화를 나누던 우리는 이제 각자의 아기에 관해서만 이야기했다. 그 친구의 귀엽게 생긴 유순한 아기, 세상과 전쟁 중인 내 아기에 대해서만. 우리는 우리의 흐릿해진 지력을 빛의 이론에 적용했다. 그에 따르면 모든 존재는 빛을 내뿜으며 태어나지만 이 빛은 (운이 좋으면) 서서히, (운이 나쁘면) 느닷없이 어둑해진다. 시인, 신비주의자, 탐험가 같은 카리스마 넘치는 사람들은 전자에 속하는데, 침침해질 수밖에 없는 이 빛을 일부나마 용케 잃지 않은 덕분이다. 그러나 충격적이고도 견딜 수 없는 건 이 빛이 자연의 법칙에 따라 사라진다는 사실이다. 빛은 가끔이지만 이십 대까지 버티고, 삼십 때에는 여기서 반짝, 저기서 반짝거리지만, 그 후엔 거의 예외 없이 캄캄해진다.

"애한테 모자를 씌워줘야지." 길 가다 마주친 할머니들이 하나같이 했던 말이다. 그러나 악마 같은 딸아이는 영악하게도 얼음장 같은 찬비와 바람 속에서도 모자를 쓰지 않고 버티는 것으로 그들을 물리쳐버렸다.

　착한 아기인가요? 사람들이 자주 내게 물었고 그럴 때 내
대답은 이러했다.
　흠, 아뇨.

　딸의 뒤통수에서 곱슬곱슬 소용돌이치던 머리. 그 사진을
천 장은 찍었어야 했는데.

09

그는 친절한 것으론 둘째가라면 서러워할 정도다. 내 남편 말이다. 늘 판명되지 않은 질병으로 고생하는 사람들에게 돈을 보내거나, 삽을 들고 나가 정신 나간 이웃의 집 앞 보도를 치워준다거나, 라이트 에이드에서 만난 뚱뚱한 여자애에게 인사말을 건넨다. 남편은 오하이오 출신이다. 이는 그가 버스 운전사에게 인사 건네는 법을 잊는다거나 수하물 찾는 곳에서 앞 사람을 밀치는 일이 절대로 없다는 뜻이다. 언제고 그를 머리끝까지 화나게 만드는 사람들을 두고 두고 곱씹는 일도 전혀 없다. 사람은 기본적으로 선의를 가지고 있다는 것. 그것이 그의 신조다. 그렇다면 그는 어쩌다

나 같은 사람이랑 결혼을 했을까? 나는 자주, 그리고 쉽게 미워하는 성격인데. 가령, 나는 다리를 쩍 벌리고 앉는 사람들을 미워한다. 최고의 기량 그 이상을 발휘하라고 요구하는 사람들. 퇴폐적으로 부유한 자신을 '호방하다'고 자찬하는 사람들. 당신은 너무 비판적이에요, 정신과 의사한테서 그 말을 듣고 나는 집으로 돌아오는 길 내내 울면서, 그 말을 곱씹어 생각한다.

그런 일이 있은 후, 여동생과 전화로 통화를 하고 있을 때의 일이다. 나는 아기를 목말 태우고 밖으로 나간다. 아기가 손을 뻗어 뭔가를 제 입에 집어넣는데, 그 때문에 목이 막힌다. "애를 거꾸로 들어!" 내 여동생이 소리친다. "등을 세게 때려!" 그리고 나는 초록빛의 여전히 예쁜 나뭇잎 한 장이 내 손바닥 위에 나올 때까지 아기의 등을 때린다.

응급 예방책에 깊은 관심이 생겼다. 나는 남편에게 이 문제에 대해서는 내 뜻을 따라주었으면 좋겠다는 부탁을 한다. 그래서 그에게 배낭에 주머니칼과 작은 회중전등을 넣고 다니라고 말한다. 욕심을 부리자면 남편이 낙하산 겸용의 방연마스크를 하나 마련했으면 좋겠다(돈 많고 겁도 많은 사람이라면 이 물건을 하나 살 법하다, 고 어디선가 읽은 적이 있다). 그는 내가 병적인 상상을 한다고 생각한다. 아무 일 없을 거야, 그는 말한다. 그래도 여전히 나는 그가 약속해주길 바란다. 무슨 일이 일어나면 다른 사람들을 구하려 애쓰지 말고 가능한 한 빨리 집으로 돌아오겠다고 약속해주면 좋겠다. 이런 요구에 그가 충격을 받은 표정인데도 나는 아랑곳 않고 우악스레 강조한다. 계단에서 쌕쌕거리는 직장 여성도 노부인도 뚱뚱한 남자도 신경 쓰지 마. 집으로 오라고, 나는 그에게 말한다. 우리 아기를 구해야지.

며칠 전 아기가 정원 호스에서 물이 나오는 것을 보더니 우리에게 자기 웃음소리를 들려준다.

내 온 생이 지금 하나의 행복한 순간으로 수렴되는 듯하다. 우주에 처음 간 남자가 한 말이다.

나중에, 잠 잘 시간이 되자 아기는 푸티 파자마*의 한쪽 바지에 두 다리를 다 집어넣고선 깜찍하게도 우리가 봐주

---

* 양말이 붙어 있는 아기용 바지.

길 기다린다.

엄마가 아기 때의 날 안고 찍은 사진이 한 장 있다. 사랑의 감정을 여실히 드러낸 엄마의 표정. 오래도록 나는 그 표정에 쑥스러워했다. 이제 그때의 엄마와 조금도 다르지 않은 표정의 내가 딸과 함께 찍은 사진이 있다.

밤마다 우리는 부엌에서 아이를 잡고 빙글빙글 돌며 춤을 춘다. 어찔어찔한, 이런 행복.

아기가 공에 집착하게 되었다. 그러더니 백 걸음 거리에서도 공 모양의 물건은 알아볼 수 있게 된다. 공. 아이가 달을 공이라 부른다. 공. 공. 달이 구름에 가려진 날 밤에는 화가 난 듯 어둠을 가리킨다.

남편이 광고용 사운드트랙을 작곡하는 새 일거리를 받았다. 보수가 전보다 높다. 특전 수당도 있다. 일은 할 만한가요, 사람들이 묻는다. "생각보단 괜찮아요." 남편은 어깨를 으쓱하며 대답한다. "정신이 피폐해지는 정도가 미미하니까요."

아기가 걷는 법을 배운다. 우리 부부는 애가 꽤 사람다워졌음을 자랑할 겸 파티를 열기로 한다. 파티가 열리기 며칠 전, 아이가 몇 번이고 되풀이해 내게 묻는다. "지금 파티해? 지금 파티 해?" 잔치 기분에 들뜬 그날 밤 나는 아이의 성긴 머리칼을 뒤로 넘겨 하나로 묶어준다. "여자아이처럼 보이네," 남편이 말한다. 표정을 보니 놀란 것 같다. 한 시간후, 손님들이 연이어 들어오기 시작한다. 아이는 오 분 동안 그들 사이를 오락가락하더니 내 소맷자락을 잡아끌며 말한다. "이제 파티 그만! 파티 끝! 파티 끝!"

아이가 제일 좋아하는 책은 소방관이 나오는 책이다. 소방관 그림을 보면 아이는 종을 치고 봉을 타고 내려오는 흉내를 낸다. 땡, 땡, 땡, 소방차 종이 울립니다. 소방관 아저씨들이 출동합니다!

남편은 매일 밤 아이에게 그 책을 읽어준다. 판권 페이지까지 빼놓는 법 없이 아주, 아주 천천히 읽어준다.

가끔 아이는 자기 봉제인형들을 거실 사방에 흩어놓고 놀곤 한다. "아가들아, 아가들아." 흰 냅킨으로 인형들을 덮어주면서 아이는 어두운 목소리로 중얼거린다. "내전의 전쟁터." 남편과 내가 그 놀이에 붙인 이름이다.

어느 날, 아이가 혼자서 블록을 뛰어 내려간다. 아이가 끝에 가서 깜빡하고 멈춰 서는 걸 잊을까 봐 나는 질겁한다. "멈춰!" 나는 아이에게 소리친다. "멈춰! 멈춰!"

"애가 열여덟 살이 될 때까지만 살려두라고." 여동생의 말이다. 동생에겐 천둥벌거숭이 아들이 둘 있는데, 이란성 쌍둥이다. 동생의 집은 시골이지만, 틈만 나면 영국으로 이사를 가지고 으르댄다. 제부가 영국인이다. 그는 모든 가족 문제를 기숙학교와 백개먼*의 의무화로 해결하려고 한다. 그는 이 나라에서 사는 걸 한 번도 좋아한 적이 없다. 나약한 사람들, 그는 미국인들을 그렇게 부른다. 그의 비위를 맞추려고 동생은 저녁에 고기 찜과 삶아 으깬 완두콩을 요리한다.**

---

* 주사위로 하는 보드게임의 일종.
** 고기 찜과 완두콩 범벅은 영국의 대표적인 전통 요리다.

10

우리가 사는 아파트 위층에 꼬맹이 펑크록커들이 이사 왔다. 이곳 임대주는 플로리다에 살기 때문에 우리더러 그들을 감시해줄 것을 부탁한다. 남편이 가구 세 점과 어마어마하게 큰 스테레오 시스템을 나르는 그들을 돕는다. 나는 한눈에 그들이 좋아진다. 그들은 내가 가르치는 학생들을 닮았다. 똑똑하고, 신경과민에, 묘하게 성실하다. "멋져요, 두 분이 결혼하신 거." 한번은 여자애가 내게 그리 말하는데, 남자애도 진심이라는 듯 고개를 끄덕인다.

수업에 들어가기 직전에 내 머리에 토사물 한 덩어리가

묻어 있는 것을 발견한다. 덩어리라니 과장한 건지 모르지
만, 천만에, 그 정도로 컸다. 나는 싱크대에서 머리를 감는
다. 나는 현재 '마법과 두려움'이라는 강좌를 맡고 있다.

나도 모르게 머릿속으로 위층의 어린 펑크록커들과 소소
한 대화를 나누곤 한다.

결혼에서 어떤 것이 펑크록인지 알아요?
아무것도.

결혼에서 어떤 것이 펑크록인지 알아요?
토사물과 똥과 오줌 말고는 없어.

남편이 망치를 들고 욕실로 들어오더니 집안 물건들을
장황하게 열거하며 말한다. "흔들거리던 의자를 고쳤어. 그
리고 러그 밑에 매트를 깔았으니까 이제 말려 올라가지 않
을 거야. 변기의 나사받이는 새로 갈아야겠어. 물이 계속 새
네." 그가 훌륭한 사람임을 보여주는 또 한 가지 사례다. 뭔
가 고장 난 게 눈에 띄면 그는 고치려고 노력한다. 물건들이
끝도 없이 고장 나니 정말 못 참겠네, 너 따위에게 엔트로

피*를 당해낼 재간이 있을 리 없지, 라고 생각하며 주저앉는 법이 없다.

다들 줄기차게 내게 요가를 하라고 말한다. 길 아래편에 있는 요가원을 한번 나가보긴 했다. 딱 하나가 좋았는데, 마지막에 강사가 담요로 몸을 감싸주면 십 분 동안 죽은 척하는 것이었다.

"그 두 번째 소설은 어디 있어?" 학과장이 내게 묻는다. "째깍 째깍. 째깍 째깍."

남편과 나는 아이를 꼬맹이, 라고 불렀었다. 이리 오렴, 꼬맹아, 고양이는 놔줘야지. 하지만 어느 날 아이는 더이상 그렇게 부르지 못하게 한다. "나 다 컸어." 그렇게 말하는 아이의 표정이 사납다.

예전 상사가 전화를 해서 일자리가 필요하냐고 묻는다. 지인 중에 돈 많은 남자가 우주 프로그램의 역사에 관한 책

---

* 에너지가 사용되기 시작하면서 환원불가능한 상태가 되며 결국 손실되는 현상.

을 내려고 하는데 유령작가가 필요하다는 것이다. "돈은 많이 줄 거야." 그가 말한다. "그런데 그 사람이 하늘이 내린 진상이야." 나는 남편에게 이 얘기를 한다. 해, 해, 한다고 말해, 그가 말한다. 그러고 보니 기저귀, 맥주, 포테이토칩 살 돈이 얼마 남지 않았다.

피츠제럴드가 남긴 말. 예전엔 이 유리병은 꽉 차 있었어. 여기 물약이 들어 있던 것이 한 병 있네. 잠깐, 아직 한 방울 남아 있잖아… 아냐, 빛이 스며든 게 그렇게 보이는 것뿐이야.*

그런 연유로 나는 돈이 많다는 그 남자를 만난다. 그의 프로젝트는 착상부터 입이 떡 벌어질 정도로 잘못되어 있다. 그는 제일 먼저 우주 프로그램을 만드는 것에 관해 이야기하고, 그런 후 우주 경쟁**에 대해서, 중반쯤엔 궤도에 진입할 뻔했으나 실패한 자신의 한 맺힌 사연을 이야기하

---

* 미국 작가 스콧 피츠제럴드가 작가로서 상업성과 예술성을 동시에 겸비한다는 것을 주제로 쓴 에세이 〈피츠제럴드, 저작에 관해 말하다F. Scott Fitzgerald on Authorship〉에 나온 문장.
** 1950년대에서 60년대까지 미국과 소련 간에 벌어진 우주 개발 경쟁.

고자 한다. 마지막은 그 자신이 직접 창안해낸 정교한 과학 기술 문서를 통해서, 실제로 우주를 식민화할 가능한 방법을 제시하는 것으로 이야기를 맺는다. "멋지네요." 나는 말한다. "사람들은 우주를 좋아하죠." 우주 비행사가 될 뻔했던 남자는 기뻐한다. 그는 내게 수표 한 장을 준다. "엄청난 책이 될 거예요." 그가 말한다. "엄청난!"

밤에 나 자신과 인터뷰를 할 때가 가끔 있다.

원하는 게 뭐야?
모르겠어.

원하는 게 뭐야?
모르겠어.

뭐가 문제인 것 같아?
그냥 나 좀 내버려둬.

순수한 영혼을 지닌 한 소년이 저녁 식사에 초대 받아 우리 집에 온다. 장난삼아 젊음을 되찾으려는 여자가 그를 데리고 온다. 그는 경직된 채 가만히 앉아선, 우리가 농담을 할 때나 보일 듯 말 듯한 미소만 간신히 짓는다. 우리보다 열 살 적은 그 소년은 우리에게서 타협이나 개선의 여지가 없는 기미만 보여도 바짝 경계한다. "네가 상상하는 성취와 우리가 실제로 이룬 바를 비교해선 안 돼." 순수한 영혼을 지닌 소년이 떠난 후 누군가가 말한다.

담에서 뛰어내리지 마. 길거리에서 뛰어다니지 마. 돌덩이가 뭘 할 수 있을지 알아보겠답시고 그걸로 네 머리를 치지 마.

물론 그건 힘들어. 너는 영혼을 가진 존재를 가꿔나가고 있으니까, 내 친구들이 말한다.

1897년, 이폴리트 바라뒤크라는 프랑스인 의사가 일련의 사진 실험을 행했다. 그는 영혼이 정말로 몸속에 존재하며 죽는 순간 떠난다는 것이 진실임을 입증하고자 했다. 그는 살아 있는 비둘기를 양 날개를 펼친 채 널판에 묶은 다음, 사진판을 가슴에 대고 단단히 고정시켰다. 그가 비둘기의 목을 잘랐을 때, 애초 바랐던 대로 사진판에 뭔가 찍혔다. 그것은 둥그렇게 감기는 회오리 형태를 취하며 떠나는 영혼이라고, 그는 말했다.

17세기까지는 자석에 영혼이 있다고 널리 알려져 있었다. 그렇지 않다면 한낱 물건이 어떻게 끌어당기거나 저항할 수 있단 말인가?

어느 날, 개를 산책하는 남자가 길거리에 놓인 매트리스를 걷어차는 것이 눈에 들어온다. 그는 발길질을 하고 또 한다. 벌레, 무용지물, 백해무익. 누군가 그 위에 빨간 페인트로 써놓았다.

바르뒤크는 감정들을 사진으로 찍을 수 있다고 주장했다. "증오, 기쁨, 비탄, 두려움, 연민, 독실함 등등. 상기 결과들을 얻기 위해 필요한 새 화학물질 같은 건 없다. 보통 카메라로도 충분히 찍을 수 있다." 그는 감정적으로 흥분한 사람들을 수소문해선 그들의 머리에서 몇 인치 떨어진 자리에 차광지를 고정했다. 그 결과 같은 종류의 감정은 사진판 위에 같은 종류의 흔적을 남기지만 서로 다른 감정은 다른 이미지들을 남기는 것을 발견했다. 분노는 불꽃처럼 보였다. 사랑은 희미한 얼룩처럼 보였다.

11

학교에 갈 때마다 다른 엄마들을 만나게 된다. 그들 중
몇몇은 일찍 오는데, 이 때문에 내가 늦을 경우 늘 같은 사
람들의 눈에 띄게 된다. 일찍 오는 엄마들은 늘 같은 사람
들이고, 약속한 날에 뭘 가져와야 하는지도 잊는 법이 없다.
아이와 아이 아빠의 사진, 아니면 선탠로션, 아니면 뭔가 다
른 것으로 변신시킬 빈 달걀 상자를 가져왔어야 하는 것 같
다. 나처럼 가끔 학교에 늦게 오는 엄마들 때문에 선생들은
매일 유예 시간을 정해두었다. 이른 아침에 선택할 시간을
주는데, 아이가 이때를 놓치면 당연히 당황스럽겠지만, 이
야기 나누기 활동에 참석하지 못한 것처럼 큰일은 아니다.

그 시간에 아이들은 다 함께 둥글게 모여앉아 꽃이 어떻게 자라고 무엇(물, 햇볕)이 필요한지, 또는 어떻게 우리 인간 역시 동물에 속하는지, 혹은 행성들이 어떤 특정한 순서에 따라 태양과 가장 가까이 또는 가장 멀리 배치되어 있는지에 대해 이야기한다. 아이들은 명왕성이 퇴출된 것을 알고 있는데, 자기들보다 나이가 많고 더 굼뜬 부모들이 이 사실을 잊고 있으면 신이 나서 비명을 질러댄다. 준비물을 챙기는 것에도 마찬가지로 유예 시간이 있다. 달걀 상자를 가져와야 하는 날은 필요한 당일이 아니라 정말로 필요한 날의 하루 전, 가져오지 않으면 진짜 대참사가 일어나기 전이다. 그러고 나면, 그렇게까지 했는데도 잊어버리는 엄마들을 위해 몇몇 선생들은 준비를 해둔다. 여분의 상자들을 가져온다거나 다른 엄마들, 기억하고 늘 일찍 오는 그들에게 부탁해 여분의 상자들을 준비해두는 것이다.

앨커트레즈*의 한 죄수에 관한 일화가 있다. 독방의 죄수였던 그는 밤마다 단추 하나를 바닥에 떨어뜨리고 어둠 속에서 다시 그것을 찾아 헤맸다. 그는 밤마다 그런 식으로 새

벽까지 심심소일했다. 나에겐 단추가 없다. 다른 모든 면에
서도, 나의 밤은 늘 똑같다.

인성에 관한 질문서

1) 나는 차 안에 있을 때 속도감을 즐긴다.
2) 다른 사람들은 내가 장시간 일한다고 알고 있다.
3) 나는 기술보다는 운에 좌우되는 게임에 끌린다.
4) 난 파티에 가면 초조해진다.
5) 나는 다른 사람들보다 빨리 먹는다.
6) 친구들은 내가 비판에 민감하다고 말한다.
7) 나는 실내 활동을 더 좋아한다.
8) 내가 인생의 시험에 통과할 깜냥이 못되는 것 같아 두
   려울 때가 많다.
9) 비행기 조종법을 배우고 싶다.
10) 가끔 특별한 이유 없이 마음이 뒤숭숭해질 때가 있다.

내 마음속엔 여전히 손쓸 수 없을 만큼 비뚤어진 데가 있
다. 두 사람을 극진히 사랑하면 그런 마음이 곧아질 거란 생
각을 한 적이 있었다.

요가원 사람들이 하는 말. 이 어느 것도 진부한 건 없어요, 우리가 정성을 쏟기만 한다면.

좋아, 그렇다면 싱크대 배수구를 막아버린 이것은 어떨까. 나는 탁한 물속으로 한 손을 집어넣고 배수구를 만지작거린다. 배수구에서 손을 떼자, 내 손은 기름으로 번들거리는 거품투성이가 된다.

남편이 테이블을 치운다. 고기조각이 접시에 붙어 있고, 질척해진 냅킨이 그레비 소스 안에 둥둥 떠 있다. 인도에는 공기만 먹고 사는 사람들이 있다던데.

누가 딸아이에게 병원놀이 장난감을 준 모양이다. 아이는 조심스럽게 자기 체온을 재고, 팔에 혈압계 밴드를 갖다 댄다. 그런 후 밴드를 떼곤 자세히 살펴본다. "이담에 커서 의사가 되고 싶니?" 내가 묻는다. 아이는 이상한 표정으로 나를 보다가 말한다. "난 지금 의사인데?"

딸아이를 위해 포기할 테다, 모든 것을, 혼자 있는 시간을, 빛나는 책을, 내 얼굴이 들어간 우표를. 단, 아이가 열

여덟 살이 될 때까지 내 옆에 가만히 누워 있겠다고 동의할 경우에만. 아이가 나와 가만히 누워 있겠다면, 내가 그 애의 머리칼에 얼굴을 묻을 수 있다면, 기꺼이 그럴 수 있다.

학생 평가

교사로서 훌륭하나 입증할 수 있는 바가 '매우' 미미함.
누구도 체계적인 교사라고 말하지 않을 것임.
학생들에게 관심이 많아 보임.
글을 쓰는 데 어떤 규칙도 없는 것처럼 행동함.

"재미있는 게 하나도 없네?" 남편이 리모컨을 눌러대며 말한다. "재미있는 것 좀 보여달라고."

키츠의 말. 네 영혼을 구원해 품어주는 세계야말로 가장 편한 곳이다.

우리의 베이비시터는 아름다운 이탈리아 여자다. 그녀가 내게 남자친구와 헤어졌다고 말한다. 나도 그를 아는데, 진지한 젊은 뮤지션으로 그녀를 정말로 좋아했다. "그가 어떻게 받아들이던가요?" 내가 묻는다. 그녀는 자기가 마실 차를 끓여 내온다. "광대처럼 울어대더라고요."

집에 온 딸아이의 손가락에 여간해선 지워지지 않을 빨갛고 까만 것이 묻어 있다. "네 손 좀 봐! 무슨 일이 있었던 거니?" 남편이 말한다. 딸아이가 제 손을 들여다본다. "내가 잘못해서 이런 것 같아요." 아이가 아빠에게 말한다.

"파티가 늘 이렇게 따분했었나?" 현금자동인출기 앞에 서서 베이비시터에게 줄 돈을 인출하면서 나는 남편에게 묻는다. 남편이 지폐를 자기 지갑에 넣으며 말한다. "그건 2백 달러짜리 파티였다고."

불교도들은 세 개의 표식을 얻을 때 지혜로워질 수 있다고 말한다. 첫 번째 표식은 무아無我를 이해할 때 생긴다. 두 번째 표식은 삼라만상이 덧없음을 이해할 때. 세 번째는 일상의 경험은 본질적으로 만족을 채워줄 수 없음을 이해할 때 생긴다.

"눈이 있는 존재는 모두 볼 수 없게 됩니다." 티브이에서 한 남자가 말한다. 그는 자격증을 갖춘 사람처럼 보인다. 그의 머리칼엔 짙은 윤기가 흐른다. 목소리는 지하철에서 유인물을 건네는 사람들의 목소리 같지만, 그는 신이나 정부에 대해 이야기하고 있는 것이 아니다.

"다들 언제 와?" 딸이 말한다. "다 오는 거 아냐?" 아이는 방에서 인형 집을 가지고 나와선 그 안의 의자들의 자리를 바꾸고 또 바꾼다. 의자들을 잘 배치하는 게 쉽지 않아 보인다. 꼭 한 개는 비뚤어져 있다. 아이는 몹시도 엄격하다, 내 어린 딸은. 이만저만 엄격하고 정확한 게 아니다. 조심스럽게 앙증맞은 칠면조를 앙증맞은 테이블 정중앙에 올려놓는다. 칠면조는 금빛이 도는 갈색이다. 누군가 진짜 같은 날개를 새겨넣었다. 어째서? 나는 알 수 없다. 어째서 모든 것이 이미 시작되고 만 거지? "빨리." 아이가 웅얼거리며 계속 배치한다. "빨리, 빨리!"

자격증을 갖춘 남자는 어느덧 하늘에 대해서, 하늘의 가장 파괴적인 움직임에 관해 말하고 있다. 시간이 경과하면서 초목으로 뒤덮인 벌판이 사라지고, 붉은 빛의 파동이 어머니와 아이를 날려버린다. 멀리 있는, 완전히 이해할 수 없는 어떤 것이 원인이 되어 일어난 일이다. 그러나 그런 가능성은 고무적이다. 천문학적이기까지 하다.

여전히, 나는 이것의 이름을 알기 전까지 행복해질 수 없
을 것이다.

12

대략 1896년부터 전해 내려오는 아내에 관한 조언. 소설을 무작위로 읽는 것은 기혼 여성이 빠질 수 있는 가장 유해한 습관이다. 인간 본성에 관한 그릇된 관점을 심는 것 말고도 이는 그들을 조장해 (⋯) 가사의 의무를 등한시하게 하고, 일상의 현실에 경멸을 품게 만든다.

식품점에 가면 내가 정신박약이 되는 건 사실이다. 목록을 써 가지만 잊어버리고 필요 없거나 이미 산 물건을 또 산다. 나중에 남편이 물을 것이다. 휴지 샀어? 케첩은? 마늘 사 왔어? 그러면 나는 대답할 것이다. 아니, 아니, 잊어버렸어, 미안해. 여기 버터스카치 푸딩이랑 이쑤시개랑 위스키 사워 믹스* 있어. 그러나 지금 딸과 나는 육류 매대 앞에서 오들오들 떨며 서 있다. "추워." 딸이 말한다. "그냥 가면 안 돼? 왜 여기서 있어야 돼?" 내가 사야 하는 특정한 종류의 고기가 있다. 어느 고기 요리 레시피에 들어가는 특정한 고기. "금방 갈거야." 나는 말한다. "잠깐만 기다려. 엄마가 잠깐 생각 좀할게. 너 때문에 생각을 할 수가 없잖니."

최근 들어 나는 어떤 꿈을 계속해서 반복해 꾸고 있다. 꿈속에서 남편은 한 파티에서 내게 절교를 선언하며, 나중에 얘기해줄게, 나 좀 그만 괴롭혀, 라고 말한다. 하지만 이 얘기를 하자 그는 짜증을 낸다. "우린 부부야, 잊었어? 누가 누구랑 헤어진다는 거야, 그런 거 없어."

"난 가을이 좋아." 딸아이가 말한다. "저기 가을 낙엽 좀 봐, 얼마나 예뻐? 오늘이 가을 같아. 가을이 엄마가 일 년 중에 제일 좋아하는 계절이야?" 아이가 걸음을 멈추더니 내 소맷자락을 잡아당긴다. "엄마! 못 알아듣네? 나 지금 새 단

---

* 위스키에 설탕, 소다수, 레몬주스를 탄 칵테일.

어를 쓰고 있잖아. fall이 아니라 autumn이라고 말했잖아."

길을 가다가 몇 년간 통 못 봤던 지인과 우연히 마주친다. 그와 알고 지냈던 시절, 우린 둘 다 젊었다. 그는 문학잡지 편집자였고 나는 가끔씩 그의 청탁을 받아 글을 썼다. 그는 오토바이를 몰고 다녔지만 일찍 결혼했는데, 그 두 가지가 다 내겐 인상적으로 다가왔다. 그는 여전히 참 잘생겼다. 얘기를 나누다가 그에게 이제 아이도 생겼음을 알게 된다.

"두 번째 책을 내가 놓친 게 맞죠?" 그가 말한다.

"아뇨." 나는 말한다. "그런 거 없는데요."

그는 불편해 보인다. 우리 둘 다 그간의 세월을 가늠하고 있다. 어쩌면 나만 그러고 있는지도.

"무슨 일이라도 있었어요?" 잠시 후 그가 친절하게 물어봐준다.

"네." 나는 설명한다.

그날 밤, 나는 괴물 예술가가 되겠다던 옛날 계획을 이야기한다. "가지 않은 길." 남편이 말한다.

13

한밤중에 갑자기 한 가지 생각이 떠올랐다. 우주 비행사가 될 뻔했던 남자 밑에서 일하는 것을 그만두고 대신 포춘 쿠키 속 메시지 쓰는 일을 할 수 있을지도 모른다고. 나라면 제대로 미국식으로 써볼 수 있지 않을까. 이미 몇 개를 써놓기도 했다.

관심을 갖는 대상들이 행복을 만들어줍니다.

동물들은 기꺼이 보탬이 되고자 합니다.

당신의 도시들은 영원히 빛날 것입니다.

죽음은 당신에게 손을 뻗지 않을 것입니다.

내가 쓴 포춘 쿠키 메시지들을 철학자에게 보낸다. 즉시 답신이 온다. 너의 자금줄이 되어줄 의향이 있음. 그러나 내 계좌엔 단돈 27달러뿐.

다음 날 아침 한 남자가 집을 살펴보러 온다. 개를 데리고. "찾아내!" 그가 개에게 말한다. "찾아! 찾아내!" 그러나 개는 그 자리에 가만히 앉아서 나를 쳐다본다.

일주일 후에 나는 그를 다시 불러들인다. 그에게 차와 쿠키를 대접한다. "이렇게 해보세요." 그가 말한다. "약을 먼저 매트리스 위에, 그다음에 창턱에, 그다음에 콘센트 안에 넣어두세요. 그런 다음 아무 생각 말고 가서 주무세요."

하지만 위층 친구들은 그 문제라면 이미 통달해 있다. "제가 한 가지 방법을 알려드릴까요?" 남자애가 말한다. "집 안의 모든 것을 죄다 내다 버려요."

이가 들끓는 집에서 혼자 사는 여자에 관한 기사를 읽는다. 그녀는 스프레이를 뿌리고 옷을 빨고 삶고 잡아 죽여도 도와줄 사람 한 명 없는 것이 얼마나 우울한지 하소연한다.

그녀는 가진 돈을 다 썼고 몇 년째 데이트 한번 못했다. 그 기사를 남편에게 보여주니 그가 말한다. "맞는 말이야. 우린 운이 좋은 거라고."

그로부터 몇 주 후, 딸의 학교에서 머릿니에 관한 공지문을 보내온다. 엄마들은 차를 몰아 시내를 가로질러 동방정교회 동네의 머릿니를 잘 잡는다는 여자를 찾아간다. 그 여자는 두당 1백 달러를 청구한다. 엄마들 말로는 아예 뿌리를 뽑을 정도로 철두철미하단다. 백만금을 줘도 아깝지 않단다.

하지만 내 남편 역시 철두철미한 사람이다. 그는 우리의 머리칼을 살펴보더니 조명등 쪽으로 신중하게 빗을 들어올린다.

"내가 왜 엄마를 사랑하는지 알아?" 딸이 내게 묻는다. 아이는 욕조 안 물에 떠 있고, 머리칼은 비누거품을 뒤집어써서 새하얗다. "왜 사랑하는데?" 내가 묻는다. "내가 엄마의 엄마라서 그래." 딸이 말한다.

일전에 보고 싶지 않아도 볼 수밖에 없었던 비디오가 하나 있다. 거기서 그것들은 독약을 피하려고 먼 벽을 기어올라 천장을 건너가선 침대 위로 뚝 떨어진다. 또 다른 비디오는 훨씬 더 끔찍했는데, 한 여자가 자기 딸이 자는 침대 옆에서 먼지 제거 롤러를 든 채 잠도 안 자고 밤이 새도록 버티는 과정을 스스로 촬영한 것이었다.

시몬 베유의 말. 대상이 없는데도 주목하는 것은 숭고한 형식의 기도다.

우주 비행사가 될 뻔했던 남자는 이제 시도 때도 없이 날 불러서 자기 프로젝트 이야기를 한다. "베스트셀러가 될 거라고 생각해요." 그가 내게 말한다. "그 남자처럼. 그 남자 이름이 뭐죠? 세이건?"

"칼이요?"

"아뇨." 그가 말한다. "그 이름이 아닌데. 다른 이름이요. 기억이 나겠죠."

며칠 후 어느 날 밤, 내가 어쩌면 천재인지도 모른다는 은근한 희망이 솟는다. 수면제를 아무리 먹어도 내 뇌가 잠들지 않는 걸 보면 맞지 않을까? 하지만 다음 날 아침, 구름이 무엇이냐고 묻는 딸아이에게 나는 아무 말도 하지 못한다.

14

남편이 헤드폰으로 '롱나우The Long Now'라는 시리즈 강좌를 듣는다. 오래도록 나는 그 이름을 흘려들을 뿐 관심을 두지 않았다. 내게 그 이름은 '인간 조건'이나 '정신의 생애'처럼 쓸 데는 많지만 불분명한 어구처럼 다가올 뿐이다. 그러나 그것이 실상은 세상의 잘못된 점을 바로잡고자 노력하는 한 단체임을 알고 깜짝 놀란다. 해당 웹사이트에 들어가 잠깐 살펴보니 기후 변화와 피크오일* 등을 주제로 한 강연들이 보인다. 어떤 연유에서인지 나는 '롱나우'라는 말이 일

---

* 1956년 지질학자이자 물리학자 매리언 킹 하버트가 도입한 개념으로, 전체 매장량의 절반을 써버려 석유 생산이 줄어드는 시점을 의미한다.

상생활에서 느끼는 감정을 의미하는 거라고 추측했었다.

나는 값싼 피아노 한 대를 구해서 남편에게 깜짝 선물로 준다. 가끔 저녁을 먹고 나서 그는 우리를 위해 음악을 작곡하기도 한다. 아름다운 소품곡들. 시간이 여덟 시를 넘어가면 이웃들이 항의를 해온다. 게다가, 벌레들까지 피아노 속으로 들어간다.

아라비아에는 이런 속담이 있다. 벌레 한 마리면 나라 하나를 통째로 쓰러뜨릴 수 있다.

일본에는 이런 속담이. 0.25센티미터 길이에 불과한 벌레 한 마리일지언정 그 안엔 0.5센티미터의 영혼이 있다.

요새 딸은 자기가 쓸 만한 것이 있나 집안의 서랍들을 살살이 뒤지는 버릇이 생겼다. 그러다 어느 날 우리 부부의 웨딩케이크를 장식했던 신랑 신부 모형을 찾아냈다. 딸은 신랑은 버렸지만 신부는 자기 방 선반 위, 여자아이의 머리처럼 긴 갈기가 달린 분홍색 플라스틱 말 인형들 사이에 놓는다. 이것이 일종의 극찬임을 나는 알아차린다. 아이는 그렇게까지 분명히 말하진 않지만.

오랜 결혼생활에 관한 소소한 농담들. "내 아내는… 더이상 날 믿지 않아." 내 친구가 손을 살짝 저으며 말한다. 모두가 웃는다. 우리는 다 함께 저녁을 먹고 있다. 그의 아내가 만들기 까다로워 보이는 모로코 요리를 내게 건네주는데 그가 만든 것이다. 믿을 수 없을 정도로 맛있다.

치과에 가는 것을 두려워합니까?

전혀. 가끔. 언제나.

나는 '가끔'이라고 답하지만 치과 사람들은 나를 '언제나'로 승격시키는 것 같다. 의사는 말랑말랑한 손가락들을 내 입속에 집어넣고 이리저리 살피며 조심스럽게 말을 건넨다. 치위생사는 내게 별 생각 없이 말을 걸면서 아이가 몇이나 되냐고 묻는다. "하나요." 내 대답에 그녀는 깜짝 놀란다. "하나 더 가지실 거죠?" 싱크대에 묻은 피를 물로 씻어내며 그녀가 묻는다. "아뇨, 그러진 않을 것 같은데요." 내가 말한다. 그녀는 고개를 설레설레 젓는다. "아이를 하나만

갖는 건 매정한 것 같아요. 제가 외동딸이었는데 정말 끔찍했다고요."

레바논의 어느 속담. 빈대는 백 마리의 자식을 두고도 너무 적다고 생각한다.

"아무에게도 말하면 안 돼요." 위층 청년이 내게 경고한다. "이 일 때문에 또 사람을 불러들이고 싶지 않다면." 그는 내게 지퍼로 단단히 밀봉한 특별한 비닐봉지들을 준다. 밤이 되어 뜬눈으로 누워 있는 우리의 귀에 그 봉지들이 움직이는 소리가 들린다. 봉지가 하나라도 열리면 그 안의 모든 것이 오염된다고 했다. 집을 나서기 전에 우리는 입을 옷을 특별한 스팀 살균기에 넣어 열기를 쏘인 다음 입어야 한다. 입지 않는 옷은 종류를 불문하고 즉시 봉지에 담아 밀봉해야만 한다. "우주 비행사처럼 살고 있잖아, 이거." 남편이 침대에서 그가 눕는 쪽으로 조금 움직이며 말한다.

우주 비행사의 행로는 영광을 향한 순탄한, 의기양양한 행진이 아니다. 우주선 객실에 들어갈 자격을 갖추기에 앞서서, 기쁨의 의미는 물론 비탄의 의미 또한 알아야 한다. 우주에 최초로 간 사람이 남긴 말이다.

놀이터에서 만난 한 여자가 자신이 처한 딜레마에 대해 이야기한다. 그녀 가족이 마침내 살 집을 찾아냈는데, 정원이 딸린 4층짜리 브라운스톤 건물로 완벽하게 관리되어 있고, 학군 면에서 안심할 수 있는 더없이 아름다운 블록에 있는 집이라고 했다. 그런데 그곳에 살고 있는 지금 그녀는 다른 층에 있는 물건을 엉뚱한 층에서 찾느라 하루 대부분의 시간을 보낸다는 것이다.

요새 나는 빨래방에서 몇 시간이고 시간을 보낸다. 그러는 동안 스웨터들은 줄어들고 딸아이의 동물 인형들은 털이 빠진다. 어느 날은 깜빡하고 딸의 담요를 집어넣는다. 담요를 갖다주자 딸은 울면서 말한다. "나한테 있는 것 중 제일 좋은 거였는데. 엄마는 왜 내 제일 좋은 걸 자꾸 망가뜨리는 거야?"

15

우주에서의 생존은 곧 인고의 도전이다. 현대 전쟁사가
시사하듯, 인간은 일반적으로 장기간 평화롭게 어울려 살고
노력할 수 없는 존재임을 스스로 입증해왔다. 특히 단절되
거나 스트레스가 심한 상황하에 밀폐된 공간에서 살아가는
사람들은 심심치 않게 적의를 터뜨린다.

요리하지 마, 섹스하지 마, 넌 뭐 하는 사람이니? 요리하지 마,
섹스 하지 마, 넌 뭐 하는 사람이니?

아인슈타인은 우리가 달을 쳐다보지 않는다면 과연 달이

존재할까 의문을 표했다.

러시아 지상통제본부는 전통적인 방식으로 우주 비행사들을 배웅했다. 너의 어떤 것도 남지 않게 되기를, 솜털도 깃털도.

"내가 찾고 있는 건 말이죠," 우주 비행사가 될 뻔했던 남자가 내게 말한다. "흥미로운 사실들이에요."

블라디미르 코마로프는 소유스 1호에 탑승한 조종사로, 이 우주선은 처음부터 기술적 문제들로 골머리를 앓았다. 우주선 발사를 몇 주 앞두고 소련 우주 비행사는 그것이 죽음의 미션이 될 것임을 확신하게 되었으나, 소련 정치가들은 관련 공학기술 보고를 무시해버렸다. 정해진 날이 되었을 때, 코마로프는 암울한 표정을 한 채 우주선으로 들어가 좌석에 묶였고 궤도를 향해 발사되었다. 그러나 그러기가 무섭게 모든 것이 어긋나기 시작했다. 안테나 하나가 올라가지 않았다. 그런 후 태양전지판 하나가 작동하지 않아 선체가 한쪽으로 기우는 바람에 방향을 읽을 수 없게 되었다. 잠재적 참사를 감지한 지상통제본부는 미션을 포기하고 코마로프를 안내해 귀환시키려 했다. 그러나 그가 대기권으로 다시 진입했을 때, 우주선이 걷잡을 수 없이 빙글빙글 돌기 시작했다. 코마로프는 이를 통제하려고 혼신의 힘을 쏟았으나 바로 잡을 수 없었다.

길고도 끔찍한 추락의 와중에, 한 정치인이 코마로프를 연결해 그를 영웅이라 치하했다. 그런 후 코마로프의 아내가 연결되었고, 이 부부는 서로 대화를 나눈 후 작별을 고했다. 코마로프를 실은 우주선이 육지를 향해 돌진할 때 마지막으로 모두의 귀에 들린 건 이 우주 비행사의 격분과 공포에 찬 고함소리였다. 캡슐은 충격에 곧바로 짜부러져 화염에 휩싸였다. 수습된 시신은 없었다. 코마로프의 미망인에겐 숯덩이가 된 남편의 발꿈치뼈가 돌아갔다.

그러나 우주 비행사가 우주에서 장기간 생존하더라도 다른 종류의 위험들은 존재한다. 그중 가장 위험한 몇몇 도전은 실상 심리적인 것일지도 모른다. 그런 가정에 관해 연구하는 사람들은 실마리를 찾기 위해 다른 종류의 고립을 조사하기도 한다. 가령 극지방 탐험가들의 일지를 통해 장기간 우주에 머무는 것이 어떤 것일지 그나마 가장 비슷하게 살펴볼 수 있을 것이다.

1898년 벨지카 호에 승선, 남극해로 나아간 탐험가 프레데릭 쿡은 빙산에 갇힌 배에 선원들과 함께 발이 묶이자 일지에 다음과 같이 썼다.

우리는 암흑 같은 밤과, 입에 맞지 않는 음식을 매일 먹는 이 냉혹한 단조로움에 지치는 것 못지않게 서로에게도 진절머리를 내고 있다. 육체적으로, 심리적으로, 그리고 어쩌면 도덕적으로 진절머리를 내다 보면 결국 절망적인 기분이 된다. 그리고 내 과거 경험에 비추어볼 때 (…) 나는 이런 절망적인 기분이 날이 갈수록 더 심해질 것임을 안다.

"우린 이 상황을 이겨낼 거야." 나는 남편에게 말한다. "우린 늘 이겨내잖아." 그가 천천히 고개를 끄덕인다. 나는 그의 구부린 팔을 베고 소파에 눕는다. 우리 옷에서 증기 쏘인 냄새가 난다.

남편과 교대로 딸의 소풍을 따라간다. 집에 남는 쪽이 또 한 번 집안에 약을 뿌린다. 딸은 머릿니 때문이라고 생각한다. 남편도 나도 비밀을 지키는 건 견디지 못하는 성격이지만 이것만은 지킨다, 그렇다, 이 비밀만큼은. 우리는 노력 끝에 사람들이 머릿니가 생길까 봐 우려하는 목소리를 높일 때도 움찔하지 않게 되었다. 우리는 거의 집 밖을 나가지 않으며 나가는 경우엔 행여 다른 사람에게 옮기는 일이 없도록 몇 시간 동안 우리가 입는 옷 구석구석에 증기를 쏘인다. 겨울이 되자 증기 소독은 더 고역이 된다. 집을 나서기 전에 반드시 목도리와 벙어리장갑과 부츠와 코트를 증기 소독해야 한다. 타이머가 울리면 우리는 소독기에서 옷들을 전부 꺼내선 의자나 침대에 앉지 않고, 가능한 한 빨리 옷을 입고 집을 나선다.

그해 우리는 여러 사람들에게 크리스마스카드를 받는데, 그중에 가족들이 보낸 편지들도 끼어 있다. S는 승진을 해서 이제 마케팅 회사의 전무가 되었다. T는 아이가 생겼고 'Sorted!*'라는 회사를 새로 차렸다. L과 V는 쌀과 설탕과 빵을 먹지 않고 있단다.

남편은 내게 글은 쓰지 말라고 한다. 대신 우리는 미소

---

* 풍족한, 더할 나위 없는, 이라는 뜻.

짓는 사진 한 장을 보낸다.

가족과 친구 여러분
벌레의 해입니다. 돼지의 해입니다. 돈을 탕진하는 해입니다. 병에 걸리는 해입니다. 책 한 권 없는 해입니다. 음악 한 곡 없는 해입니다. 다섯 살이 되고 서른아홉 살과 서른일곱 살이 되는 해입니다. '잘못된 삶'의 해입니다. 훗날 우리는 올해를 이렇게 기억하게 될 겁니다, 올해가 지나가기만 한다면.
사랑과 희망이 가득한 연휴가 되기를 기원합니다.

시부모 댁을 방문한 동안, 딸은 집 안에 있는 수영장에서 수영을 배우느라 열심이다. 나는 얼굴을 찡그리고 눈을 질끈 감은 딸의 얼굴을 지켜보며 한 번, 두 번, 스트로크 횟수를 센다. 며칠이 지나자 아이는 오십 스트로크까지 해낸다. 그런 후 브루클린에서 남편이 오자 아이는 공항에 막 도착한 아빠에게 빨리 수영장으로 가자고 재촉한다. 정작 도착하니 아이는 쭈뼛대기만 한다. 애가 그때까지 온갖 안달을 하며 떼를 쓴 것이, 그 결과가 용두사미가 되어버린 것이 짜증이 나서 나는 입을 꼭 다물고만 있다. 아이와 내가 생각을 정리하는 동안 남편은 데크의 의자에 앉아 잠들어버린다. 약을 뿌려대느라 밤새 한잠도 자지 못한 것이다. 시어머니는 활기찬 태도로 손녀가 수영하는 내내 다독여준다. "한 번 수영을 익히면 평생 수영을 잘하게 돼"라며.

스토아학파 덕분에 우리가 알게 된 한 가지 사유 실험. 자신이 가진 모든 것에 진절머리가 난다면, 그 모든 것을 다 잃어버렸다고 상상해보라.

16

나는 누군가를 가르치기엔 점점 더 과도하게 까탈을 부리고 나이도 너무 많을지 모른다. 지금 나는 정관사 대^쳐부정관사에 대해서, 시점에 대해서 시험지 여백에 대고 잔뜩 불만을 쏟아내고 있다. 작가와의 거리*를 생각해보기를! 여기서 말하는 사람은 누구인지?

작문을 가르치는 내 친구는 점수를 매기다가 버럭 화가 나서 같은 말을 치고 또 칠 때가 가끔 있다.

---

* 작가와 그의 작품 속 인물과의 시점 차이.

우리가 지금 시공간의 어디에 있는 건지?
우리가 지금 시공간의 어디에 있는 건지?

나는 내 수업에서 창조신화를 읽기로 결정한다. 처음으로 되돌아가자는 생각에서다. 어떤 신화에서 신은 아버지로 그려지고, 또 어떤 신화에선 어머니로 그려진다. 신이 아버지일 때, 그는 어딘가 다른 곳에 있다고 말해진다. 신이 어머니일 때, 그녀는 어디에나 있다고 말해진다.

물론, 괴물 예술가의 경우에는 다르다. 괴물 예술가들은 언제나 다른 곳에 있다.

릴케를 찾아내는 건 여간 어려운 일이 아니었다. 그는 집이 없어서 주소도 없었기 때문에 누구도 그의 소재를 밝힐수 없었다. 진득이 머무는 곳도 없었고, 사무실도 없었다. 그는 언제나 세계를 돌며 제 갈 길을 가는 중이었고, 그래서 누구도, 심지어 릴케 자신조차 그 길이 어느 쪽으로 향할지 미리 알 수 없었다.

릴케의 절친한 친구 슈테판 츠바이크의 회고록에 이렇게

나와 있다.

철학자는 전국을 여행하면서 여러 대학에서 강의를 하고 있다. 그가 새로 출간한 자기 책을 내게 보내온다. 제목은 《슈티뭉Stimmung》으로, 분열성 신경쇠약 증세를 보이기 전에 나타날 수 있는 심리상태에 관한 책이다. 이 독일어를 거칠게 번역하면 '진실을 말하게 하는 눈'이라는 뜻이다.

모든 것은 의미로 가득 차 있는 듯하다. '내가 특별히 주목했다'는 말은 그런 경험을 하는 사람들이 신물 나도록 반복하는 표현이다.

철학자가 요새 좀 유명해진 것 같다. 눈을 반짝이는 여자애들이 그의 강의를 듣고, 그에게 얼마나 이 세계가 종잇장처럼 얄팍하게 느껴지는지 말하고 싶어 한다. 철학자는 여학생들과 교제하는 법이 없다. 그는 어떻게 정원을 가꿔야 하는지 아는 이가 나타날 때까지 계속 기다리는 중이다.

안경 쓰는 것을 번번이 잊어버린다. 이런 나 때문에 남편은 미치려고 한다. 나는 가장 멋쟁이인 친구에게 함께 안경

을 맞추러 가자고 한다. 안경가게 직원은 내게 하늘색 안경
을 팔려고 한다. 앞으로 유행할 디자인, 이라고 말하면서.
친구가 웃음을 터뜨린다. "너 옷 입는 스타일하고 어울릴
것 같지 않은데." 내가 옷을 어떻게 입는데? 나는 궁금해진
다. 버스 운전사 같이 입잖아, 라는 말이 돌아온다.

누구도 내게 말해준 적이 없는 나에 관한 세 가지 사실 :
네가 그 일을 하는 걸 보면 정말 쉬워 보여.
넌 정말 수수께끼투성이야.
넌 너 자신을 보다 진지하게 받아들일 필요가 있어.

나는 유행에 다소 뒤진 안경을 산다. 너의 눈이 성하다면,
너의 온몸이 빛으로 가득할 것이니라.*

다섯 살이 되기 무섭게 딸이 내게 고백을 하기 시작한다.
자기가 하는 생각들이 태어나 처음으로 하는 생각으로 의
식되고, 면죄를 받고 싶은 모양이다. 이 아이도 가톨릭교도
인 게 분명하다는 생각이 든다. 걔 발을 밟을까 생각했는데 안

---

* 마태복음 6장 22절.

그랬어. 걔가 날 질투했으면 좋겠다고 생각했어. 그 남자애한테 화가 난 척했어. "누구나 나쁜 생각을 해." 나는 아이에게 말한다. "그걸 행동으로 옮기지 않도록 노력하면 되는 거야."

밤이 되어 아이가 잠자리에 들기 전에 우리는 다 함께 인터넷으로 귀여운 동물 사진들을 본다. 남편은 내게 비유전적 문화 요소*의 유래가 얼마나 먼 과거까지 거슬러 올라가는지 그 예시를 보여주는데, 급기야 '나 치즈버거 머거도 대?'**라 말하는 크고 못난 고양이까지 보게 된다.

그러나 딸아이는 그다지 흥미롭지 않은 눈치다. "언제 진짜 동물을 볼 수 있어?"라고 말하는 것을 보니. 딸은 개를 키우고 싶어 한다. 우리는 아이의 생일에 고양이를 선물하기로 한다. 이 도시에선 고양이가 나아, 남편이 말한다. 개

---

* 문화 요소가 유전자가 아니라 모방과 같은 방식을 통해 다음 세대로 전달되는 것을 의미함.
** 동물들의 우스운 행동을 담은 비디오나 이미지를 공개하는 웹블로그의 이름. 2007년 하와이 태생의 일본인 에릭 나카가와가 우스꽝스럽게 생긴 고양이 사진에 'I CAN HAZ CHEESEBURGER?'라는 캡션을 붙인 것이 인터넷을 통해 퍼져나가면서 이른바 '짤방'의 효시가 되었고, 전 세계 네티즌들이 그 같은 이미지를 자체적으로 만드는 문화의 밑바탕이 되었다.
*** 1950년대에 미국에서 유행한 반문화 청년운동에 참여한 세대를 일컫는 말.

를 데려다 비참하게 만들면 되겠어?

가끔 나의 딸은 우리에게 다가와선 밤에 눈을 감으면 뭔가 보인다고 칭얼거린다. 빛의 줄기, 라고 딸은 말한다. 별.

요새 들어 남편이 부쩍 나를 '변태 아내'라고 부르고 있다. 그가 술을 끊겠다고 결심했는데 내가 이제 그만 술을 끊으라고 말했기 때문이라나. 그러고선 일전에는 그가 담배 피우는 모습이 섹시하다고 말했단다. 또, 그가 원하면 나는 언제든지 오럴섹스를 해줄 사람이지만, 정작 너무 피곤해서 섹스를 할 수 없을 때가 대부분이라고 한다. 또, 내가 늘 그에게 일을 그만두고 싶으면 그래도 된다고, 앞으로는 저렴한 곳에 갈 거고 아이와 함께 쌀과 콩만으로 살 거라고 말한다는 것이다.

저 마지막 예에 관해서 남편은 내 말을 믿지 않는다. 하긴 믿어야 할 필요가 있을까? 한번은 치즈 한 조각에 13달러나 쓴 나인데. 나는 부자들을 겨냥한 카탈로그를 자주 본다.

하지만 최근에 나는 어느 영화 속 비트족***처럼 군다. 이 부르주아지 똥 덩어리는 죽여버리는 거야, 내 사랑! 우리 다시 순결

한 심장을 되찾는 거야!

몇 년 동안 보지 못했던 친구를 만나 점심을 먹는다. 그
녀는 내가 들어본 적도 없는 음식을 주문하더니 맛이 그저
그런 생선 한 조각을 되돌려 보낸다. 내가 내 인생을 되찾을
만한 여러 가지 계획들을 이야기하자, 그녀가 말한다. "난
완전히 속물 됐어."

17

나는 아무도 살지 않는 허름한 방갈로 촌에 있는 방갈로를 하나 사려고 인터넷을 뒤지느라 많은 시간을 보낸다. 적당한 곳(과 그곳을 살 돈)이 생기면, 그 즉시 친구 열 명을 불러 여름 내내 함께 머물며 밤을 지새울 것이다. 환각성 약물과 부부 스와핑을 하지 않는 코뮌처럼. 내 계획에 남편은 요지부동이다. "그런 곳에 살면 실제로 내게 어떤 영향을 줄지 감이 안 와." 그가 말한다. "그리고 거기서도 난 매일 일을 해야 할 걸."

우리는 결국 다른 아파트를 찾아낸다. 이삿짐을 싸는 것은 몇 주에 걸친 장대하고 세심히 조직된 과업이다. 마지막 날, 철학자가 와서 도와준 덕에 피아노를 길가로 끌어내놓는다. 우리는 그 위에 표지판을 올려놓는다. 가져가지 마시오.

새로 이사 간 집 건물의 엘리베이터에서 딸이 11층 버튼을 누른다. "불이 나면 계단으로 내려가야 해." 나는 말한다. "하지만 홍수가 나면 어떻게 해?" 그런 일은 없을 거야, 나는 아이에게 말한다. 거짓말이 아니다. 이번만큼은, 아니다.

지하철 플랫폼에 서 있으면서 가끔, 두 팔에 딸을 안고 있는 나를 상상하면 아직도 몸을 흔들 때가 있다.

쉿, 우리 아가, 울지 마, 엄마가 자장가 불러줄게, 그리고 저 흉내지빠귀가 노래하지 않으면, 아빠가 네게 다이아몬드 반지를 사줄 거야. 엄마, 아빠, 그거 말고, 나 공 사줘. 잘 자라 나무야, 잘 자라 별들아, 잘 자라 달아, 잘 자요 모두들. 감자 도장, 종이 사슬, 투명 잉크, 꽃 모양 케이크, 말馬 모양 케이크, 케이크 모양 케이크, 내면의 목소리, 바깥의 목소리, 무서운 개를 보면 나무처럼 꼼짝 말고 서 있어. 소라고둥 껍데기, 시글래스*, 높은 파도, 물러가는 물결, 아이스크

92

림, 불꽃놀이, 수박 씨앗, 삼켜버린 껌, 유칼립투스 나무, 신발과 배와 봉랍, 양배추와 왕, 무모한 도전, 알파벳 수프**, A 내 이름은 앨리스, 내 남자 친구 이름은 앤디, 우리 고향은 앨라배마, 우린 애플을 좋아해, A 내 이름은 앨리스, 나는 사아아아랑의 게임을 하고 싶어. 반딧불이, 별똥별, 해마, 금붕어, 제 새끼를 잡아먹는 게르빌루스 쥐, 제발, 피넛버터는 먹기 싫어요, 부모님 서명 받아올 것, #1. 엄마, 보여주고 말하기***, 진실게임, 숨바꼭질, 빨간 불, 초록 불, 도와주기 전에 마스크를 써주세요, 뼛가루, 뼛가루, 우린 모두 쓰러진다, 집 안 난롯불을 꺼뜨리지 않는 방법, 데이트하는 밤, 가족과 함께하는 밤, 밤, 밤, 메이는 세상만큼이나 작고 혼자 있는 기분만큼 커다란 매끈하고 둥근 돌을 가지고 집에 왔다, 멈춰, 엎드려, 몸을 굴려****. 인사, 윌버의 마음은 행복으로 찰랑찰랑 가득 차 있네. 발렌타인데이를 위한 하트 모양 종이, 고무풀, 내 마음을 받아주세요, 병아리 떼 종종종, 하늘이 무너져 내리네. 모노폴리, 모노폴리, 모노폴리, 엄마는 골무가 돼주

---

* 유리조각이 오랜 세월에 걸쳐 바다에서 마모되어 보석처럼 된 것.
** 알파벳 모양의 국수가 든 스프.
*** 각자 물건을 하나씩 가져와 발표하며 이야기하는 수업 활동의 하나.
**** 화재시 안전 기술의 하나로 동작을 멈추고, 엎드린 후, 몸을 굴려 피하는 순서.

세요, 나는 자동차가 될게요.

식료품점을 나와 집으로 걸어가는데 한 손에 들고 있는
비닐봉지 세 개가 손목에 감긴다. 나는 멈춰 서서 감긴 비닐
을 풀려고 한다. 피가 통하지 않게 된 손목에 하얀 고리 모
양의 자국이 나 있다. "엄마." 딸이 말한다. "내가 도와줄게.
엄마. 가만히 서 있어. 엄마, 내가 감아줄게!" 나는 그 아이
가 다시 감게 놔둔다.

내 딸의 세 가지 질문 :

바다에는 왜 소금이 있어?
엄마가 나보다 먼저 죽어?
조지 워싱턴한테 개가 몇 마리 있었는지 엄마는 알아?

몰라.
그래, 제발 그랬으면.
서른여섯 마리.

18

딸이 그네에서 뛰어내리다가 양 손목이 부러진다. 다섯 살
난 친구가 그네에서 뛰어내리라고 했단다. 아무 일 없을 거
라고 약속할게, 친구가 말했다고 한다. 그런데 그 애는 왜 그
런 약속을 했을까? 딸은 병원에 가서야 큰 소리로 울어댄다.

이 병원엔 전에도 온 적이 있었다. 딸아이가 실수로 코에
플라스틱 보석을 집어넣었다가 빠지지 않았을 때였다. 남편
이 전화로 방법을 설명해주는 동안 나는 핀셋으로 빼내려
고 애썼지만, 오히려 더 깊이 들어가버리고 말았다. 남편은
시내에서 택시를 타고 우리를 데리러 왔다. 병원으로 가는

길에 딸은 흐느껴 울고 또 울었다. "나 말고 또 누가 이런 적이 있었어? 이런 일이 전에도 일어난 적이 있었어? 한 번이라도?" 병원 응급실에서, 우리는 의자 가장자리에 우스꽝스러운 모습으로 걸터앉은 채 우리 이름이 호명되길 기다렸다. 몇 시간이 흘렀다. 보석이 박힌 코=부상자 분류척도의 최하단.

나중에 남편은 내게 말했다. "내가 왜 그걸 기억하지 못했지? 아주 침착하게 임할 자신이 없으면 핀셋을 쓰지 말라고 했는데. 당신, 아주 침착하게 했어?"

딸이 어찌나 난리를 치며 우는지 손목의 엑스레이를 찍을 수가 없다. 엑스레이 기사가 아이에게 엑스레이가 뭔지 보여주려고 내 왼손의 엑스레이를 찍는다. 그런 후 그가 불빛에 비춰 보여주는 필름을 우리 모두 쳐다본다. 뼈, 가득 찬 공허, 견고한 고리, 아지랑이 같은 살이 있다. 언젠가 버스 안에서 만난, 크리스천 사이언스* 교도라고 자기를 소개했던 한 소년을 생각한다. 그는 자신들은 이상주의를 믿으며, 이는 곧 영혼만이 실재라는 뜻이라고 말했다. 그는 학교의 정글짐에서 떨어진 적이 있었는데, 다들 그의 발이 부러졌을 거라고 생각했지만, 실제로 부러진 뼈는 하나도 없었고 고통조차 느끼지 못했는데, 이는 뼈도 고통도 실재하지 않기 때문이며, 존재하는 것은 아무것도 느끼지 못하는 마음뿐이라고 했다. 그 말을 듣고 나도 크리스천 사이언스 교도가 되고 싶었던 게 기억이 난다. 그러나 시간이 지나면서 그런 생각도 지나가버렸다.

얼마 후, 믿을 수 없는 일이지만, 병원에서 딸에게 모르핀 주사를 놓는다. 딸은 꿈결인 양 도넛에 대해 얘기하기 시작한다. 병원에서 얌전히 굴면 상으로 열두 개의 도넛을 받을 거고, 그러면 각각 한 입씩 먹을 거라고 말한다.

우리는 딸의 깁스를 맞추러 의사의 진료실로 들어간다. 의사가 딸에게 깁스를 대준 후, 안에 아무것도 들어가면 안 된다고 주의를 준다. "뭐 하나라도 그 안에 들어가면 병원에 와서 깁스를 제거한 다음, 마취를 하고 다시 깁스를 대야 해요." 그가 말한다. 우리는 진료실을 나선다.

---

* 미국의 종교가 M. B. 에디가 창시한 종교단체. 인간 정신과 신, 그리스도가 일체이며, 그 일치가 이루어지면 인간은 병에 걸리지 않는다는 교리를 가지고 있다. 병이란 잘못된 주관적 상태이기 때문에 그 잘못을 제거하면 병이 낫는다고 주장한다.

뭔가 내 깁스 안으로 떨어져 들어갔어.

뭘까?

몰라.

하지만 뭔가 들어간 게 분명하다고 생각하는 거지?

그게 아니라, 그럴지도 모른다고. 그냥 내가 그렇게 생각한 건지
도 몰라.

그냥 그렇게 생각한 건지도 모른다고?

아니, 뭔가 느껴졌어.

뭔가 느껴졌다고?

그런 것 같아.

그게 뭔데?

몰라. 뭔지.

뭐?

아무것도 아닐 거야. 뭐가 들어간 걸 수도 있고.

뭔데?

아무것도 아니야. 아니, 뭔가 들어갔어.

우리는 들통에 물을 받아 딸의 머리를 감겨주고, 젓가락
을 깁스 안에 넣어 딸의 손목을 긁어주려고 한다. 때는 여름
이고, 딸은 수영을 하고 싶지만 할 수 없어 울어댄다.

비트겐슈타인의 말. 우리가 하는 말, 우리는 몸속에서 말하는 것이다. 이 몸을 벗어날 때 우리는 아무 말도 할 수 없다.

어느 더운 날 밤, 딸을 우리 방에서 재운다. 우리 방 에어컨이 더 시원하기 때문이다. 우리 셋이 다 함께 커다란 침대 속으로 뛰어든다. 이즈음 딸의 깁스에선 퀴퀴한 동물 냄새가 난다. 딸은 가짜 별을 쏘는 야간등을 가져와 침대 옆 탁자에 올려놓는다. 곧 나 말고 모두 잠든다. 나는 침대에 누운 채 에어컨 돌아가는 소리와 남편과 딸의 숨소리에 귀를 기울인다. 놀랍구나. 검은 물 밖의, 이것.

19

일곱 번째 결혼기념일에 남편이 날 위해 작곡한 음악을 들려준다. 하지만 너무 슬퍼서 들을 수가 없다. 결혼 그리고 부부 중 어느 쪽이 먼저 죽을 것인가를 노래하는 내용이다. 코러스가 우리 중 하나는 이 품 안에서 죽겠지요, 라고 노래한다.

예전에 내가 사랑은 한없이 허술한 비즈니스라고 생각했다니 믿을 수가 없다. 남편이 아직 청년이었던 때, 어느 날 그의 머리칼 사이로 두피가 살짝 들여다보여 가슴이 철렁했다. 그러나 그건 그냥 가마였다. 요샌 정말로 두피가 훤히 들여다보일 때가 가끔 있는데, 애틋한 심정만 든다.

남편은 피아노가 없어진 것이 아쉬운 모양이다. 하지만 그런 얘긴 하지 않는다. 그런 그에게 나는 에디슨이 자신이 발명한 축음기에 대해 설명한 것을 녹음한 시디를 준다.

당신이 녹음한 단어들은 은박지에 보존될 것이며, 당신의 사망 몇 년 후 본 기구를 적용하게 되면 당신이 그 단어들을 발음한 방식과 정확히 똑같은 어조로 되살아날 것입니다. (…) 이 기구는 혀도 없고, 이도 없고, 후두도 인두도 없으며, 목소리도 없어 말을 못 하는 물질이지만, 그럼에도 당신의 어조를 흉내 내고 당신의 목소리로 말하고, 당신이 쓰는 단어들을 사용하며, 당신의 몸이 흙이 된 지 수 세기가 지난 후 다시, 그리고 또 다시, 당신이 누구인지 까맣게 모를 어느 세대에게 되풀이해 말할 것입니다. 당신이 이 얇은 강철 판에 대고 속삭이기 위해 고른 모든 나태한 생각, 당신이 아끼는 모든 공상, 모든 부질없는 말들을.

우리가 쓰는 단어들은 은박지에 보존될 것이며 이 기구를 적용해 다시 돌아올 것이기에 우리는 최선을 다해 서로에게 친절한 말을 하려고 한다.

우리가 연애하던 시절, 그는 십오 년째 같은 안경을 쓰고 있었다. 나는 대학 시절처럼 앞머리를 짧게 자른 스타일이었다. 나는 몰래 그의 안경을 부술 계획까지 세우곤 했지만, 그가 마침내 새 안경을 쓰고 집에 온 날에야 그 안경을 정말 싫어했었다고 그에게 말할 수 있었다.

그런 후 일 년이 지났을 때쯤 나는 앞머리를 기르기 시작했다. 마침내 앞머리가 길어져 뒤로 넘겼을 때 남편은 내게 말했다. "사실 그 짧은 앞머리가 늘 싫었어."

이 이야기를 들은 내 여동생이 고개를 절레절레 젓더니 말한다. "언니나 형부나 배우자랑 사는 게 아니라, 상사를 모시고 사는 거네."

동생이 영국으로 이민을 간다. 제부 그 개자식 때문에.

20

우주 비행사가 될 뻔했던 남자는 얼마 전부터 자나 깨나 보이저 1호와 보이저 2호와 골든레코드* 생각뿐이다. 그는 지구상에 존재하는 그에 관련된 모든 문서를 다 찾아내 원고에 반영해주길 바란다. 나는 그 이야기는 누구나 다 아는 이야기라고 생각하며 더 의외의 것을 찾아보는 게 좋을 것 같다고 말하지만, 그는 고개를 흔든다. "사람들이 원하는 것을 줘야죠. 그게 비즈니스의 첫째 원칙이에요." 그는 살충

---

* 우주에서 외계 생물체와 만날 것을 대비해 나사에서 인류에 대한 정보를 기록해 보이저 탐사선에 넣은 90분짜리 금도금 디스크.

장치를 팔아서 거부가 된 사람이다. 작년에 내게 크리스마스 선물로 한 개 주기도 했다. 나는 그에게 비즈니스의 둘째 원칙은 무엇이냐고 묻는다. "언제나 능률적일 것." 그가 말한다.

그 원칙에 대해 생각한다. 그 원칙대로 산다면 나는 어떤 인생을 살게 될까? 우주 비행사가 될 뻔했던 남자를 보면 정말로 단 일 분도 허비하지 않는다. 화장실 휴지통에는 늘 에너지바 포장지가 들어 있다. 변기에 앉아 있는 동안 그걸 먹는 것이다.

그날 밤, 딸이 선생님한테 받은 책을 읽어달라고 한다. 두운을 맞춘 이름을 가진 동물들이 털끝 하나 다칠 일 없는 모험 끝에 교훈을 얻어 집으로 돌아온다는 내용이다. 휠체어를 탄 아이를 배려심이 돋보이는 화풍으로 그린 연필화가 곁들여져 있다. 내가 다 읽자 딸이 하품하며 말한다. "더 재미난 이야기 해줘."

그래서 아이에게 보이저 1호와 2호와 골든레코드 이야기를 들려준다. 골든레코드는 병 속에 든 편지와 비슷한데, 바

다가 아닌 우주에 던져진 거라고 설명해준다. 아이가 살짝
관심을 보인다. 외계인들에게 들려주기 위해서 어떤 소리들
을 녹음했는지 알고 싶단다. 나는 목록을 찾아내 아이에게
읽어준다.

　여러 행성들의 음악
　화산, 지진, 천둥
　머드포트*
　바람, 비, 파도
　귀뚜라미, 개구리
　새, 하이에나, 코끼리
　고래의 노래
　침팬지
　들개
　발소리, 심장박동, 웃음소리
　최초의 연장들
　사람에게 길이 든 개
　양몰이, 새의 노래, 대장장이, 톱질

---

* 진흙이 가득 차서 대개는 부글부글 끓어오르고 있는 움푹 팬 곳.

리벳 조이는 기계

모스 부호, 뱃고동

말과 달구지

기차

트랙터, 버스, 자동차

F-111*의 에어쇼, 새턴 5호의 이륙

엄마와 아이가 뽀뽀하는 소리

생물의 흔적들, 펄서**

남편은 컴퓨터 앞에 구부정하니 앉아 있다. 아까 내가 들어갔을 때와 변함없이. 하루 종일 그는 다른 나라의 지진 관련 뉴스를 검색하고 있다. 사망자 수가 늘어날 때마다 내게 알려준다. 나는 창문을 연다. 공기는 차갑지만 달콤한 향을 머금고 있다. 밖에서 누군가 무언가에 대해 큰 소리로 떠들어대고 있다. 사람들이 원하는 것을 줘야죠. 나는 생각한다.

몇 주 후 우주 비행사가 될 뻔했던 남자가 내게 전화를 걸어 보이저 2호가 우리의 은하계 가장자리에 근접하고 있

---

* 미 공군용 전투 폭격기의 명칭.
** 강한 자기장을 가지고 고속 회전을 하며 주기적으로 전파나 엑스선을 방출하는 천체.

는 것 같다고 말한다. "완벽한 타이밍이에요." 그가 말한다.
"이걸 하나로 묶어서 마케팅에 활용합시다."

난 그에게 이미 일이 산더미처럼 쌓여 있다고 하지만 그
는 아랑곳 않고 더 빨리 움직여야 한다고 말한다. "돈을 더
드릴게요." 그가 말한다. "훨씬 더 많이." 그는 날 위해 팩트
체크를 해줄 인턴까지 고용한다.

내게 인턴이 생긴다. 이제야 내 한평생이 행복한 한 순간
으로 수렴되는 듯하다.

조사 중에 골든레코드 프로젝트에 얽힌 유명한 러브스토
리를 알게 된다. 인턴에게 설명하면서 나는 그걸 '우주적'
러브스토리라고 말한다. 칼 세이건에 대해 헛소리를 지껄이
고 싶은 충동을 억누를 수 있는 사람이 과연 존재할까? 아무
준비 없이 애플파이를 만들고 싶다면 그 전에 우주부터 발명해내야
합니다.* 나는 그가 터틀넥 셔츠 차림에 한 손에는 오븐용 장

---

* 칼 세이건이 우주의 생성 없이 인간과 인간의 행위, 인간의 환경을 논할 수 없다는
뜻으로 한 말.

갑을 끼고 그 자리에 서 있던 모습을 기억한다.

나는 인턴에게 1976년, 골든레코드 프로젝트가 시작된 경위를 상세히 설명해준다. 그해 나사NASA는 세이건에게 이 천상의 믹스테이프에 정확히 무엇을 넣어야 할지를 결정할 위원회를 구성해달라고 요청했다. 모든 것이 결정되기까지 이 년에 가까운 시간이 걸렸다. 칼 세이건과 그의 아내 린다가 프로젝트에 함께 임했다. 심지어 그들의 여섯 살 난 아들도 참여시켜 인사말을 녹음했다. 이 팀의 또 다른 주요 멤버들로는 우주 비행사 프랭크 드레이크와 작가 앤 드루얀과 티모시 페리스가 있었다. 엔지니어들은 이 레코드를 고안하며 가급적 십억 년 동안 파손되지 않을 수 있도록 만들었다.

골든 레코드에는 오십사 개의 인간 언어로 한 인사말과 한 개의 고래 언어, 전 세계에서 모은 구십 분에 달하는 음악, 지구상의 생명체를 찍은 사진 백열일곱 장이 실려 있다. 이 사진들은 인간 경험의 범주를 가능한 한 광범위하게 제시하기 위한 것들이었다. 금지된 이미지는 단 두 가지였다. 나사는 섹스를 묘사하는 사진과 폭력을 묘사하는 사진은

넣지 않기로 결정했다. 섹스를 금한 건 나사에 계신 분들이 워낙에 고상한 양반들이었기 때문이고, 폭력을 금한 건 폐허나 폭탄이 폭발하는 이미지가 외계인에겐 위협으로 받아들여질지도 몰라서였다. 앤 드루얀이 그런 후 있었던 일화를 말해준다.

중국 음악 중에서 가장 가치 있는 단 한 곡을 찾아 힘겹게 헤매던 중에, 나는 투손의 한 호텔에 묵고 있는 칼에게 전화를 걸었고 메시지를 남겼다. (…) 한 시간 후 맨해튼에 있는 내 아파트의 전화벨이 울렸다. 수화기를 들자 어떤 목소리가 말했다. "방에 돌아와서 애니라는 분이 남긴 메시지를 들었습니다. 그리고 나 자신에게 물었죠. '왜 메시지를 십 년 전에 남기지 않은 거죠?'"
허세도 부려보고, 농담도 해 가면서 나는 명랑하게 대답했다. "예전부터 그 문제에 관해 말하려던 참이었어요, 칼." 그런 후 좀 더 침착한 목소리로 물었다. "영원히 간직하자는 건가요?"
"그래요, 영원히." 그가 다정하게 말했다. "결혼합시다."
"좋아요." 나는 말했고, 그 순간 우리는 새로운 자연법칙을 어떻게 찾아내야 하는지 알 것 같았다.

자, 여기까지가 그 유명한 우주적 러브스토리의 본말이다. 하지만 대개의 러브스토리가 그렇듯, 여기엔 더 많은 사연이 있다. 이건 시기상 말이 안 되는데요. 인턴이 공백에 쓴다. 세이건은 이때 기혼자이지 않았나요?

　그날 밤, 남편이 내가 일을 너무 많이 한다며 불만을 표한다. 그는 넘쳐나는 쓰레기와 냉장고에서 썩어가는 철 지난 과일 때문에 구시렁댄다. 나는 곰팡이가 핀 것들을 말끔히 치우고 쓰레기통을 모두 비운다. 쓰레기봉지를 밖으로 내가기 전에 남편 마음에 들라고 문 옆에 나란히 세워놓는다. 남편이 날 한 번 쳐다본다. 그 눈빛의 의미 : 뭘 바라는 건데? 메달이라도 걸어줘?

　키스 소리는 너무 까다로워서 정확히 포착할 수 없었다, 고 엔지니어들은 말했다. 그들이 시도한 몇몇 소리는 너무 컸고, 다른 소리는 너무 조용했다. 결국 레코드에 실리게 된 키스는 티모시 페리스가 그의 약혼자 앤 드루얀의 뺨에 입을 맞춘 소리였다. 인턴이 내가 볼 수 있도록 노란색 마커 펜으로 이 문장에 강조 표시를 한다.

당시 그 우주적 러브스토리에서 생긴 일시적인 장애. 앤
드루얀과 티모시 페리스는 보이저 프로젝트에서 칼 세이건
과 그의 아내 린다와 함께 일하던 시절 약혼한 사이였다. 그
런 후 칼과 앤은 결혼하기로 결심했다. 린다와 티모시가 이
소식을 알게 된 건 그로부터 얼마 지나서였다. 어쨌거나 내
인턴이 이야기해준 바는 그러했다. 그러나 앤 드루얀이 그
이야기를 할 때 그 대목은 마치 레코드판이 튄 것처럼 빠져
버렸다.

그 대신 앤은 앞서 말한 전화 통화를 끝낸 지 이틀 후에
간 어느 실험실에서 있었던 이야기를 한다. 그녀는 컴퓨터
에 연결되어 명상을 시작한다. 그녀의 뇌와 심장에서 나온
모든 데이터가 골든 레코드에 들어갈 소리로 전환된다.

나는 내 능력껏 신념과 인류 사회 체계의 역사에 대해 생
각하려고 애썼다. 우리의 문명이 처해 있음을 알게 된 곤
경과, 이 행성에 사는 수많은 이들에게 이곳이 지옥이라는
생각을 심어준 폭력과 빈곤에 대해 생각했다. 마지막에 이
르러 나는 외람되지만 내 개인적인 발언으로서 사랑에 빠
지면 어떤 기분이었는지를 생각했다.

〈피플〉 지에 따르면 칼과 린다 세이건의 이혼은 '폭언으로 점철된 것'이었다고 한다.

21

요가원 사람들은 언제나 둘씩 다닌다. 각자의 매트를 팔
아래 끼고, 엄마가 됐음을 알리는 사정없이 짧게 쳐낸 머리
스타일을 하고서. 하지만 웬 미친 자식이 나타나 그들을 주
먹으로 치고 요가매트를 빼앗아 도망친다면? 그들이 굴복
하는 데 얼마나 걸릴까?

교회 축제 운영하지 않을래요? 비료 위원회에 들어올래요? 코트
드라이브*를 결성해볼래요? 인형극 강좌를 맡아 가르쳐볼래요?

---

* 방한 코트를 기증 받아 불우한 이웃에게 나눠주는 자선행사 모임.

한 학생이 도널드 바셀미*에게 더 좋은 작가가 될 수 있는 방법을 물었다. 바셀미는 그에게 소크라테스 이전부터 현대의 사상에 이르는 철학사를 통독하라고 조언했다. 그 학생은 자신은 도저히 할 수 없을 것 같다고 회의적인 태도를 보였다. "자네는 아마 먹고 자는 것 따위로 시간을 허비하고 있겠지." 바셀미가 말했다. "그런 건 다 그만 두고 모든 철학사와 모든 문학을 읽는 거야." 예술도, 그가 덧붙여 말했다. 정치학도.

일 분은 육십 초이고, 한 시간은 육십 분, 하루는 스물네 시간이며, 한 주는 칠 일이다. 한 해는 오십이 주이며 인생은 X년이다. X의 **값을 구하라.**

T. S. 엘리엇의 말. 결국에 가서 작가는 이제껏 아무것도 아닌 것에 애꿎은 청춘을 허비하고 건강을 해쳤음을 깨닫게 될 수도 있다.

---

* 미국의 포스트모더니즘 작가이자 이론가로 '미국의 보르헤스'라 평가받는다. 휴스턴 대학교 영문학과 교수를 역임했다

딸은 나와 떨어져야 한다면 대학에 가지 않겠단다. 아기를 낳으면 와서 한 달 동안 나랑 살 테니, 내게 아기를 돌보는 것을 도와달란다. 그러고 나면 하루만 떠났다가 다시 돌아와 한 달이나 일 년 동안 나와 살겠다나. 나와 떨어져 사는 건 정말로 원하지 않는다면서. "약속할 거야?" 내가 묻는다. 딸은 양 팔꿈치와 무릎을 동그랗게 말고 내 품에 안긴다. "약속."

교양 있는 우리 엄마는 우리에게 국수만 해줬다My Very Educated Mother Just Serves Us Noodles.* 이것은 딸의 학교에서 행성 순서를 외울 수 있게 가르쳐주는 연상기호라고 한다.

딸이 막 말을 배우기 시작한 무렵, 아이의 얼굴을 손으로 이리저리 쓸어주며 모든 부위의 명칭을 하나씩 알려준 적이 있다. 나중에 침대에 눕혀주자, 딸이 나를 다시 불렀다. 먼저 물을 달라고 하더니, 그다음엔 우유를, 그다음엔 뽀뽀를 해달라고 했다. "아파, 가지 마." 딸이 말했다. "어디가?

---

* 머리글자대로 각각 수성Mercury, 금성Venus, 지구Earth, 화성Mars, 목성Jupiter, 토성 Saturn, 천왕성Uranus, 해왕성Neptune이다.

어디가 아파, 우리 딸?" 아이는 잠시 입을 다물었다. "눈
썹."

　어떤 여자들은 더이상 맞지 않는 비싼 코트를 던져버리
듯 아무렇지도 않게 야심을 저버리는데.

　사랑해, 라는 말 그만 써. 딸이 내가 점심 도시락에 넣은 쪽
지 위쪽에 이렇게 써놓았다. 참 오랫동안 딸은 매일 그런 쪽
지를 써서 넣어달라고 했었는데, 여섯 살이 된 지 일주일 만
에 그만하란다. 그 쪽지를 읽으면서 나는 기분이 묘하고, 머
리가 이상하게 어찔어찔하다. 갑자기 누군가에게 절교를 당
한 것 같은 이런 기분은 오랜만이다. 남편이 내게 키스한다.
"걱정 마, 여보. 진짜로, 아무 일도 아니야."

　마일리지 영수증 좀 보자는 남편이 있는가 하면, 새벽 세
시에 섹스하자는 남편이 있다. 아내가 머리를 짧게 자르지
못하게 하는 남편이 있는가 하면, 고양이에게 밥을 챙겨달
라는 부탁을 무시하는 남편이 있다. 나라면 그런 건 도저히
그냥 넘어가지 않겠어, 아내들 모두는 그렇게 생각한다. 절
대로.

하지만 내 에이전트에겐 한 가지 논리가 있다. 그녀는 모든 결혼 생활은 임시방편으로 버티는 거라고 말한다. 겉보기엔 괜찮아 보이는 결혼 생활도 속을 뜯어보면 접착제와 철사와 끈으로 얼키설키 이어져 버티고 있다는 것이다.

그래서 놀이터에서 만난 이 여자는 지금 자기 남편이 영수증 때문에 자기 가방을 뒤진 얘기를 내게 하는 중이다. 만약 거래하지 않는 금융기관의 ATM 영수증이 단 한 장이라도 나올 경우 그는 그것을 빨간색으로 강조해 냉장고에 붙여놓는다고 한다. 그녀는 어깨를 으쓱한다. "그래야 직성이 풀리는 사람이에요."

그런데 난 이 여자한테서 무슨 말이 나오길 기다리고 있는 거지? 자긴 바보랑 결혼했다는 말? 자기 가정은 잿더미 위에 세워진 거라는 말? 그러니 지금의 나는, 이번만큼은 운이 좋은 여자구나. 내 남편 같은 남자와 결혼한 건 어마어마한 행운이니까.

물론 아내들이 요구하는 것도 있다. 아내들의 요구사항 : 변함없는 순종. 죽을 때까지의 충절.

남편이 부엌에 앉아서 책을 직접 제본한다. 나는 그 책이 우체국에 보내졌을 때 어떤 기계도 건드리는 일이 없기 바란다.

22

어떻게 지내?

너무무서워너무무서워너무무서워너무무서워너무무서워너
무무서워너무무서워너무무서워너무무서워너무무서워너무
무서워너무무서워너무무서워너무무서워너무무서워너무무
서워너무무서워너무무서워너무무서워너무무서워너무무서
워너무무서워너무무서워너무무서워너무무서워너무무서워
너무무서워너무무서워너무무서워너무무서워너무무서워너
무무서워너무무서워너무무서워너무무서워너무무서워너무
무서워너무무서워너무무서워너무무서워너무무서워

아내는 기도를 짧게 올리고 있다. 릴케에게 기도한다고 생각하면서.

누군가 당신에게 인생에서 가장 행복했던 때가 언제냐고 묻는다면, 당신은 그 질문은 물론, 그 질문을 하는 사람에 대해서도 곰곰이 생각해볼 필요가 있다. 만약 질문을 한 사람이 당신을 사랑하고 있다면, 그는 그런 질문을 함으로써 당신이 떠올리게 될 기억 속에 자신도 있기를 바란다고 상정하는 것이 온당하다. 하지만 당신이 잘못 생각하고 있고, 또 당신의 심성이 비뚤어져 있다면, 그렇게 속이 훤히 들여다보이고 귀여운 바람 따위는 무시해도 된다. 대신 당신이 시골에 살면서 철저히 혼자였던 때, 누구 하나 당신에게 아무것도, 심지어 사랑조차 바라지 않았던 때를 말해라. 그때가 당신 인생에서 가장 행복했던 때라고 말해도 상관없다. 그런데 이렇게 말할 경우, 가장 행복한 때를 말하는 건 당신이 더없이 행복해지길 간절히 바라는 그 사람을 불행하게 만들 것이다.

---

* 그리스의 천문학자.

기원전 134년, 히파르코스*는 전엔 본 적 없는 신성新星 한 개를 관측하게 되었다. 그전까지 그는 별들이 영원히 존재한다고 확고부동하게 믿었다. 신성을 발견한 후, 그는 다른 별이 나타나거나 사라질 경우 알 수 있도록 모든 주성主星들의 목록을 만들었다.

그가 그녀에게 물었을 때 그들은 커피숍에 있었다. 당신은 언제 제일 행복했어? 그 순간 그녀가 놓쳐서는 안 되었던 것, 그의 얼굴에 떠오른 표정의 의미, 그 순간 공기가 결을 달리하던 것.

그리하여 어떻게 그녀는 자신의 질문을 생각하는 데 한 달이나 걸렸을까? 그가 한껏 과장되게 대답했던 그 질문.

그게 이 문제에 대한 당신의 생각이란 거야?

그런 후 어느 날 밤, 그가 딸을 재우는 시간을 지키지 못하는 일이 있었다. 그녀는 지금쯤 남편이 어련히 집에 왔겠거니 생각했는데, 그에게서 이제 막 사무실을 나섰다는 전화가 왔다. 그가 그런 건 그때가 처음이었다.

그래서 한없이 느리게, 우둔하게, 그녀는 그 질문을 다시 던진다.

그렇게까지 말하는 이유가 도대체 뭐야?

그는 잠이 든다. 그녀는 그의 옆에 누워, 밤새도록 그의 숨소리에 귀를 기울인다. 그녀는 온몸이 오싹하다. 몸이 후끈후끈하다 싸늘해지다가 다시 후끈후끈하다. 평소와 다르게 느껴졌어, 그녀는 생각한다. 불을 끌 시간에 그녀는 잠든 그를 깨운다.

그건 내 질문하고 상관없는데.

그의 눈빛, 맙소사, 고개를 끄덕이기 직전의 그의 눈빛.

탈레스*는 지구가 편평하고 물 위에 떠 있다고 생각했다.

아낙사고라스**는 달을 사람이 사는 지구라고 생각했다.

---

* 그리스의 철학자. 세계를 구성하는 자연적 물질의 근원을 최초로 밝혔다.
** 그리스의 철학자.

그녀의 여동생이 새벽 다섯 시에 펜실베이니아에서 차를 몰고 와 딸을 데리고 간다. "걱정 마." 동생이 말한다. "내가 애랑 모험을 떠날게. 애는 아무것도 모를 거야. 적어도 아직 은 몰라."

오비디우스*의 어느 시에서. 네 아무리 감쪽같이 숨겨왔 다 해도 만에 하나 들킨다면/그리하여 화창한 날만큼이나 명 백히 탄로 난다 하여도, 네 목청껏 큰 소리로 그것은 거짓이 라 말하라/비굴하게 굴지 말 것이며, 과도하게 신경을 곤두 세우지도 말 것이다/그것은 무엇보다 먼저 네 죄를 입증하는 꼴이 되고 말리니/피치 못해 아내의 침상에서 증명해야 한다 면 네 온몸이 부서질 정도의 정력을 발휘하라/다른 여자와 동침했다면 그렇게 힘이 좋을 리 없다고 믿어질 만큼.

나보다 더 커?
나보다 더 말랐어?
나보다 말수가 적어?
더 편해, 그가 말한다.

---

* 로마의 황금기를 대표하는 시인. 그리스·로마 신화를 집대성한 《변신 이야기》의 작 가이기도 하다.

기원전 2159년, 왕족 출신 천문학자들이었던 히와 호는 일식을 예견하지 못했다는 이유로 처형을 당했다.

23

연구자들은 이제 막 사랑에 빠졌다고 고백한 사람들의 뇌를 자기공명 이미지로 보았다. 뇌 활동을 정밀 촬영하는 동안 피실험자들에겐 그들이 사랑하는 사람들의 사진을 보여주었다. 검사 결과 약물을 복용한 중독자의 뇌와 똑같은 보상체계가 활성화되는 것을 알 수 있었다.

빙고! 빙고! 빙고!

대부분의 부부들에게서 열정적인 사랑이 감소하는 반면 깊은 애착이 증가하는 것은 일반적인 패턴이다. 이 애착은 부부가 자녀를 낳고 기르기에 충분한 기간을 함께 살도록 진화한 것에 대한 반응으로 여겨진다. 대개의 포유류는 부부가 함께 자식을 기르지 않지만, 인간은 예외다.

이 도시엔 울 수 있는 데가 없다. 그러나 아내는 어느 날한 가지 수를 낸다. 그들 아파트에서 800미터 남짓한 거리에 묘지가 하나 있다. 거기라면 다른 사람을 심란하게 만들일 없이 울면서 헤매어도 괜찮을 것이다. 심지어는 손을 막내저어도 괜찮을 것이다.

많은 부족 문화에서 아이들은 여섯 살이 될 때, 혹은 여섯 살이 될 즈음 자급자족할 능력이 있는 존재로 여겨진다. 실제로 이는 그들이 한밤중에 황무지에서 길을 잃는다 하더라도 반드시 죽는 것은 아니라는 것을 의미한다. 물론, 현대 산업사회에서 아이들은 훨씬 더 오랫동안 보호를 받는 편이다. 그러나 여전히 남자들은 여섯 살이라는 나이를 남다르게 받아들인다는 증거가 있다. 연구자들은 많은 남자들이 첫째 자식이 여섯 살이 될 무렵 외도를 한다고 말한다. 그런 남자들의 유전자는 설령 직접적인 감시를 받지 않더라도 꿋꿋이 제 갈 길을 갈 것이다.

블랙베리 먹어! 레드베리 말고! 아빠는 한동안 어디 멀리 가 있을 거야. 그리고 곰들한테 말 걸지 마!

"어떻게 그런 일이 있을 수 있어?" 철학자가 말한다. "난 이제껏 그렇게 다정한 사람은 본 적이 없었는데."

그녀는 안다. 그녀는 알고 있다. 그래서 자기가 아는 것이 사실임을 확인하려는 것 아닌가? 그녀가 그에게 매정하게 굴었는지, 못되게 굴었는지, 진실하지 못했는지.

24

아내*는 이제 요가를 배우러 다닌다. 단지 모두를 입 다
물게 하기 위해서다. 그래서 지금 사는 곳도 아니고 산 적
도 없는 동네의 요가원에 다닌다. 그녀는 노인과 환자를 대
상으로 하는 강좌에 등록했는데도 어느 동작도 제대로 따
라하지 못한다. 때로 그녀는 가만히 서서 창밖을, 굳이 요가
수업을 수강할 필요가 없을 만큼 온전한 삶을 사는 사람들
의 세상을 바라볼 때가 있다. 가끔씩 아내는 몸을 비틀어 자
세를 취할 때 운다. 늙고 아픈 사람들도 그러기 때문에 누구

---

* 책의 원문에서 '아내'는 'my wife'가 아니라 'the wife'라는 통칭으로 등장한다.

도 뭐라고 하지 않는다.

그러나 그 와중에도 아내는 요가 선생이 심성 고운 사람
이라는 것을 알아차린다. 선생은 그녀가 안쓰러워서 개인
수업을 해준다. 아내는 선생에게 남편 이야기를 한다. 그가
다른 여자를 사랑하거나, 그렇지 않을 가능성에 대해서. 그
녀가 남편을 떠나거나 떠나지 않을 가능성에 대해서. 그녀
는 딸이 잠들면 한밤중에 남편과 서로 맹렬한 기세로 속삭
이며 싸운다고 선생에게 말한다.

그녀는, 어젯밤엔 남편의 머리채를 잡아당겼어요, 라고
말하지 않는다. 어젯밤엔 남편의 머리채를 잡아당기려고 했
어요, 라고 말한다.

아내는 이제 편한 마음으로 딸에게 참을성 있고 다정하
게 대할 수 있다. 그녀는 앞으로 세상 누구도 어떤 것도 사
랑하지 않을 것이다. 절대로. 이는 공식 선언이다.

그녀는 그에 대한 사랑을 깨달았던 첫날밤을, 그래서 두
려움이 밀려들던 그때를 떠올린다. 그녀는 머리를 그의 가슴

에 기대고 심장 뛰는 소리에 귀를 기울였다. 언젠가 이 소리
도 멈추겠지, 그녀는 생각했다. 안 돼, 안 돼, 그래선 안 돼.

당신은 왜 내가 가진 가장 좋은 것을 자꾸 망치는 거야?

그녀의 이웃 여자의 남편이 한 여자와 사랑에 빠졌다. 매
일 아침 그에게 커피를 가져다주었던 젊은 여자와. 여자의
나이는 스물셋이고, 무용수나 시인이나 물리치료사가 되고
싶어 한다. 남자가 가족을 버리고 떠나던 날, 그의 아내가
말했다. "당신이 얼마나 바보 같아 보이는지 생각은 하고
있어? 우리 친구들이 하나같이 당신이 머저리라는 걸 알게
될 텐데?" 남편은 자기 코트를 든 채 문간에 서 있었다. "아
니." 그가 말했다.

아내는 버림받은 그 여자가 그 후 일 년 동안 점점 살이
찌는 것을 지켜본다. 독일인들은 그런 상황에서 쓰는 표현
이 있다. 쿠머슈페크Kummerspeck. 말 그대로 '비탄의 비곗
살'이란 뜻이다.

'사랑'은 남자들이 이 비탄의 비곗살을 은폐하려고 쓰는

말이다.

수많은 연구 결과에 따르면, 다른 여자 때문에 아내를 저
버리는 남자들은 하나같이 자기 아내가 미쳤다고 말한다.

다윈은 성적 흡인력이 제 목적을 채운 후에도 어떤 요소
가 남아 있어서 우리를 짝지어 살도록 강제한다는 이론을
제시했다. 이 잔존하는 요소를 그는 '아름다움'이라고 명명
했으며, 그 아름다움이 또한 인간이라는 동물이 예술품을
만드는 동인으로 작용할 수 있다고 생각했다.

오늘날 세상의 모든 노래엔 아내에게 보내는 메시지가
들어 있다. 어떤 메시지들은 특히나 감동적이어서 지하철역
으로 걸어가면서 그녀는 몇 번이고 되풀이해 그 노래를 듣
는다. 한 가지 예 : 워터게이트 따위에 내가 괴로워할 줄 아나요?
당신은 양심에 걸려 괴로운 건가요? 솔직히 말해주세요.*

그는 아무도 무너지지 않을 거라고 생각한다. 아내는 자
신의 장례식에 머리스카프를 두르고 음울한 농담을 할 사
람, 그리고 그녀에 대해 좋게 얘기할 사람들은 무너질 거라

고 예상하던 중이었다.

아, 잠깐만, 그 여자를 좋게 말했던 사람들은 상심할지도
몰라.

아무도 슬퍼하지 않을 거라고 예상하니 마음이 안 좋은
걸, 그가 아내에게 말한다. "아, 손을 부들부들 떤다는 거
지?" 그녀의 절친한 친구가 말한다. "자기들이 영화 찍고
있다고 생각하나?"

부부는 가끔 길 건너편 공원에서 우연히 마주치곤 한다.
남편은 담배를 피우려고, 아내는 나무를 보려고 그곳에 간
다. 그는 그녀의 코트 단추 세 개를 채워준다. 그는 나를 사랑
해, 그는 나를 사랑하지 않아, 그는 나를 사랑해, 그녀는 생각한
다. 둘 다 용기가 나지 않아 '상처받은 마음의 소극장'에 들

---

* 1970년대 미국 록밴드 레너드 스키너드의 〈Sweet Home Alabama〉의 가사 일부를
인용한 것. 여기서 '워터게이트'는 닉슨 대통령의 '워터게이트 사건'을, '양심'은 밴
드가 표방하는 남부의 양심을 뜻한다. 당시 밴드는 변화를 거부하고 인종주의 폭력
을 자행했던 미국 남부를 노래로 비판했던 또 다른 록 뮤지션 닐 영에게, '남부인 모
두가 인종주의자는 아니'라는 취지에서, 남부의 전통적인 정서를 긍정적으로 표방한
이 음악을 발표했다.

어갈 엄두를 내지 못한다. 그냥 둘이서 멕시코로 도망쳐버리자고, 이런 바보짓은 다 때려치우고. 그런 농담이나 하는 그들이다.

하지만 그들은 결국 들어간다. 그 극장은 질문을 하도록 지정된 곳이다.

"아직도 그 여자에게 이메일을 보내거나 전화를 합니까?"

"아뇨." 그가 대답한다.

"아직도 그 여자에게 음악을 보내고 있습니까?"

"아뇨." 그는 느릿느릿 말한다. "그 여자에게 음악은 보내지 않습니다."

"무슨 말입니까? 그렇다면 다른 뭔가를 보내고 있습니까?"

"그냥 비디오 한 개요." 그가 대답한다.

"무엇을 찍은 비디오입니까?"

"수박을 먹는 기니피그들이요."

칸트의 말: 웃음을 유발하는 건 긴장에 찬 기대감이 느닷없이 사라져버릴 때다.

'그 여자'가 한 말. 저기요, 난 정말 당신이 좋아요.

25

아내는 구닥다리 단어를 쓰는 게 더 낫겠다고 생각한다. 그래서 남편이 미혹되어 있다, 고 말한다. 정신과 의사는 그가 얼이 빠져 있다, 고 말한다. 그녀는 남편이 하는 말은 전하고 싶지 않다.

어쨌거나, 남편은 며칠 지나서 그 말을 취소한다.

난 관찰력이 뛰어난 편은 아니야, 아내는 생각한다. 한번은 남편이 식탁을 새로 샀는데 저녁 식사 시간이 될 때까지도 알아차리지 못했다. 그녀가 알은체를 하자 그는 화를 냈다.

'상처받은 마음의 소극장'에서 부부가 나누는 이야기는 주로 이런 것들이다.

하지만 그녀는 학기 말에 학교당국이 자살 가능성이 있는 학생을 알아보는 법을 쓴 메모를 돌리자 짜증이 치밀어 오른다. 검은 글씨로 교정해 되돌려주고 싶은 마음이 굴뚝같다. 그러는 댁들부터 그들 눈 좀 들여다보지 그래요?

사람들은 말한다. 눈치를 챘어야죠. 어떻게 모를 수가 있어요? 그 말에 그녀는 대꾸한다. 살면서 그렇게 놀랐던 적이 한 번도 없었어요.

눈치를 챘어야죠, 사람들은 말한다.

아내는 남편이 침울하게 굴었던 이유를 이론화했다. 가령, 한동안 그는 과음을 했다. 하지만 아니, 알고 보니 완전히 뒷걸음질 한 격이었다. 그렇게 위스키를 퍼마신 건 문제의 결과지, 원인이 아니었기 때문이다. 상관관계란 원인이 아니다. 그녀는 우주 비행사가 될 뻔했던 남자가 비과학자들이 이런 실수를 저지르는 것에 늘 불안해하며 어쩔 줄 몰라

하던 것을 떠올렸다.

그가 침울했던 이유에 대해 그녀가 세운 또다른 이론들 :

그에겐 더이상 피아노가 없다.
그에겐 더이상 정원이 없다.
그는 더이상 젊지 않다.

남편에게 어울릴 만한 지역사회 공원과 훌륭한 치료사를
찾아준 후, 그녀는 다시 자신의 감정과 두려움에 대해 끝도
없이 이야기하기 시작했고, 그는 내내 꾹 참고 들어주었다.

그 여자는 좋은 아내였어?
음, 아니.

진화는 버림받으면 큰소리로 울도록 우리를 설계했다. 목
이 터져라 큰 소리로 울어서 우리의 일족이 그 소리를 듣고
찾아올 수 있게 하기 위함이다.
전 남자친구가 그녀에게 음악을 보내기 시작한다. 희귀
레코딩, B 사이드, 소품이지만 흠 잡을 데 없는 음악들. 그

는 보상하고 싶은 거야, 그녀는 그렇게 기억한다.

그녀는 그와 스피드*를 한 적이 있었다. 하지만 그녀가 느끼기에 최고의 약물은 아니었다. 그래도 그녀의 뇌는 스피디하게 달렸다. 스피디하게 쭉 달리다가 길을 벗어나고, 충돌하고 기타 등등 기타 등등. 그것이 세상사의 기본 상태다.

가끔 자려고 누운 밤에 아내는 몸이 천장을 향해 둥둥 떠오르는 것을 느낄 수 있다. 도와줘, 그녀는 생각한다, 도와줘. 하지만 남편은 계속 잘 뿐이다.

"네 남편은 요새 어쩌고 있어?" 그녀의 제일 친한 친구가 묻는다. 마치 '사랑에 빠진 악마 좀비'같다고 대답하길 바라는 말투다.

그녀가 눈치 채고 난 후 처음으로 그와 섹스했던 그날. 맙소사. 맙소사. 그 여자의 몸이 아닌 아내의 몸을 내려다보는 그, 남편의 얼굴이 아닌 그의 얼굴을 올려다보는 그녀.

---

* 각성제의 일종.

"당신을 그렇게 외롭게 만들어서 미안해." 나중에 그녀는 남편에게 말했다. "사과는 하지 마." 그가 말했다.

존 베리먼*의 시에서 한 구절. 모든 꽃들이 파티처럼 시들어버리기를.

아내는 인터넷으로 '환상의 안개'에 대한 글을 읽는다. 외도를 저지른 배우자는 그 안개에 휩싸이게 된다. 외도 전의 자신의 삶과 아내가 참기 힘들 정도로 짜증나기 시작한다. 새로울지도 모를 미래의 삶은 희미하게 반짝이는 꿈과 같다. 이른바 이 모든 것이 뇌의 화학물질과 관계가 있다. 그것은 암페타민 같은 혼합물로, 마음을 달래주는 애착의 화학물질보다 훨씬 더 강력하다. 혹은 진화생물학자가 주장하는 바로는 그렇다.

바로 이 시기에 그들이 자기 집을 불 태워 무너뜨리는 일이 일어난다. 그 불꽃은 처음엔 아름다워 보이기 마련이다. 하지만 나중에 안개가 걷힐 때 그들이 돌아와 발견하는 것

---

* 2차 세계대전 후 미국에서 시작된 문예사조인 고백운동(The Confessional Movement)의 시인.

은 잿더미뿐이다.

"뭐 읽고 있어?" 방 건너편에 있던 남편이 그녀에게 묻는다. "일기예보." 그녀가 그에게 말한다.

26

　사람들은 그 아내를 두고 지칠 줄 모르고 함부로 지껄여
댄다. 그 여자는 남편이 내내 그러고 다니는데도 전혀 눈치
채지 못했단 말이야? 그 여자 꼭 지붕등을 계속 켜고 다니
는 택시 같아.* 거리에 서 있는 남자들이 하나같이 손을 내
저어 부르잖아.

　나 남자친구 사겨도 대?

---

* 미국에서는 손님을 태우지 않은 빈 택시만 지붕등을 켜놓는다.

그녀는 한 친구를 사랑하게 된다. 그녀는 한 학생을 사랑하게 된다. 그녀는 식료품 잡화점에서 일하는 남자를 사랑하게 된다. 그녀에게 거스름돈을 줄 때 어찌나 다정한지.

둥둥 떠 있는데, 그래, 둥둥 떠 멀리 가버리고 있는데. 어떻게 그는 지금 잠이 오지? 자기 아내가 허공에 떠 있는 걸 느끼지 못하나?

당신을 떠나겠어, 내 사랑. 난 이미 떠나고 있어. 이미 아주 높은 곳에서 당신이 말하는 것을 지켜보는 것처럼 느껴져. 내 손에 얹은 당신의 손, 내 입술 위에 포갠 당신 입술의 감촉이 그냥 별나게만 느껴진 지 좀 됐어. 그렇다면 결정된 거겠지? 별들이 쏜살처럼 달려가고 있어. 하늘이 이렇게 보인 적이 있었던 게 어렴풋이 기억나. 우리 딸이 태어났을 때 한 번 봤어. 내가 아팠을 때 한 번 봤어. 또 한번 보려면 당신이 죽어야 할 거라고 생각했지. 우리 둘 중한 명은 죽어야 할 거라고 생각했어. 하지만 봐, 지금 하늘이 그렇잖아! 누가 날 도와줄까? 누가 날 도와줄 수 있을까? 릴케? 릴케! 릴케 씨, 지금 듣고 있다면 빨리 와주세요. 날 이 침대에 밧줄로 꽁꽁 묶어주세요! 이 속세의 몸뚱

이에 날 묶어달라고요! 내 말이 들리면 당장 와줘요! 내가 줄에서 풀려나고 있다고요. 누가 날 좀 붙잡아줄 수 있어요?

존 베리먼의 말. 선생, 잘 가시고 편히 쉬시게나. 이제 혐의를 벗은 몸이 되었으니.

엉겅퀴 씨앗처럼 그녀에게 달라붙는 이 시구들.

최근 들어 아내는 신에 대해 생각하는 중이다. 남편은 이제 신을 믿지 않는다. 아내는 전 남자친구를 공원에서 만나야겠다고 생각한다. 그러면 함께 신에 대해 이야기할 수 있을지도 모른다. 그리고 섹스를 한다. 그리고 또 신에 대해 이야기하는 거다.

그녀는 요가 선생에게 고결해지려고 노력하는 중이라고 말한다. 고결! 그따위 고릿적 말이나 하고, 그녀는 생각한다. 우스워, 우습다고.

"그래요, 고결해지는 거예요." 요가 선생이 말한다.

약물에 손대고 싶을 때마다 아내는 사르트르를 생각한다. 딱 한 번 끔찍한 환각에 빠지고 난 이후 죽을 때까지, 집채만 한 바닷가재가 그의 주변을 얼쩡거렸다.

사르트르가 아니더라도, 그녀는 이미 몇 년 전 자기파괴 계약서에 서명하는 것으로 자신의 권리를 양도한 바 있다. 그녀의 친구가 출생증명서의 세부 항목*, 이라고 일컫는 것에.

그래서 그녀는 이런저런 알레르기들을 동원해 충혈된 눈에 대해 해명하고, 눈물을 참느라 고통으로 일그러진 표정에 대해선 편두통 때문이라고 둘러댄다. 어느 날 집 건물을 나서던 그녀는 이 모든 것에 녹초가 된 나머지 살짝 휘청거린다. 나이 든 이웃 한 명이 다가와 그녀의 소매에 손을 댄다. "이런, 괜찮아요?" 그가 묻는다. 조심스럽게, 공손하게, 그녀는 그의 손길에서 몸을 뗀다.

---

* 보통 보험 따위에 계약자에게 불리한 조항들을 깨알처럼 작은 글씨들로 써놓은 것을 말한다.

아내가 자세를 잡을 때 요가 선생이 제대로 가르쳐줄 요량으로 그녀를 지목할 때가 가끔 있다. 아내는 선생이 다른 학생들의 자세는 굳이 교정해줄 필요가 없다는 사실을 어쩔 수 없이 의식하게 된다.

머리는 교정하지 마! 머리는 지금 교정이 안 된다고!

어쩌다 그녀는 온종일 요가 팬츠를 입는 사람의 대열에 합류하게 됐을까? 예전의 그녀는 그런 사람들을 흉보지 않았던가? 행복 지도와 감사 일기와 고무타이어를 재활용해 만든 가방을 들고 다니는 그들을. 그러나 이제 드는 생각은 나이를 먹을수록 남을 흉볼 일이 점점 줄어들고, 그러다 마침내 나만큼은 예외라 확신할 것조차 남지 않게 된다는 것이 진실일 수 있다는 것이다.

27

그가 그 여자애에게 라디오 선곡으로 사랑을 고백했다.
나중에 아내는 그날 밤 방송의 선곡표를 확인한다. 그녀가
집을 떠나기 전날 밤이다. 처음 그 일이 있기 전날 밤. 그녀
는 그가 튼 노래들을 차례대로 들으면서, 곡목에 일일이 표
시를 한다.

그런 후 아내는 위가 뒤틀려 한참을 변기 위에 앉아 있
다. 목구멍으로 뭔가 치받쳐 올라오는 것 같아 딸의 분홍색
플라스틱 들통 안에 침을 뱉는다. 담즙만 조금 나올 뿐이다.
그녀는 다시 한 번 헛구역질을 하지만 아무것도 나오지 않

는다. 변기에 오래 앉아 있을수록 욕실의 우중충하고 더러운 상태가 더 자세히 눈에 들어올 뿐이다. 세면대엔 엉킨 머리칼들이 붙어 있고, 샤워커튼에는 소름 끼치는 곰팡이 같은 것이 붙어 있다. 수건들은 처음처럼 하얗지 않고 가장자리를 따라 해지고 있다. 그녀의 속옷도 거무칙칙한 것이 숫제 잿빛이다. 고무 밴드도 살짝 삐져나와 있다. 누구도 저런 건 입진 않을 것이다. 도대체 어떤 추저분한 인간이 저런 걸 입겠어? 그녀는 팬티를 벗고는 휴지에 둘둘 감고 또 감은 다음, 아무도 보지 못하게 쓰레기통 맨 밑바닥에 쑤셔넣는다.

먼지 한 조각을 집어 올리면 전 세계가 딸려 올라올 것이다.

"전 혼자예요." 그녀의 학생이 말한다. "다들 이런 저에게 신물을 내요. 더이상 아무도 다가오지 않아요." 그러나 리아는 이제 고작 스물네 살이다. 그녀는 아름답고 영민하다. 앞으로도 수십 년 동안 사람들이 다가올 것이다.

네 친구들과 학생들은 널 경외하는 거야.

아내는 가게와 집 사이 어디선가 20달러 지폐 한 장을 잃어버린다. 하지만 다시 돌아가 찾아볼 엄두를 내지 못한다.
마지막 가게에서 점원은 그녀에게 쌀쌀맞게 대했다. 그게
아니더라도 친절하진 않았다.

　내가 바란 건 당신이 날 더없이 좋아하는 것뿐이었는데.

28

　　그녀는 웨스트체스터의 한 병원에 입원한 리아를 보러 간다. 리아의 양 손목은 붕대로 감겨 있지만 그녀의 눈 속엔 아련하나마 빛이 살아 있다. "와주셔서 감사해요." 그녀가 격식을 갖추어 말한다. 마치 결혼식에서 줄지어 선 하객들에게 인사하는 것처럼.

　　아내는 이십 년째 교직에 몸담고 있다. 양 손목에 붕대를 감은 사람의 침대 가장자리에 앉은 적이 이번이 처음은 아니다.

그녀는 리아에게 주려고 스프링제본이 된 공책 한 권을 가지고 왔다. 하지만 병원에서 금한다. 철사는 안 돼요, 그들이 말한다. 그녀는 왜 생각하지 못했을까. 소등하기 직전에 리아가 그녀를 부른다. 아시죠, 거의 모든 사람들에게 그런 순간이 있어요, 하루만 더 이 세상에서 잠을 깨어야겠다고 생각하는 순간이.

학생들은 하나같이 손 하나 까딱하지 않으려 한다. 흐리멍덩한 눈빛으로 삼삼오오 몰려다니는 여자아이들이 있다. 먹는 거라면 질색하고, 코트 속에 계량스푼을 숨겨 가지고 다니고, 세면대에 머리털을 몇 뭉텅이나 흘려놓고선 내버려둔다. 그리고 선생이 몇 번이고 방식을 바꿔서 질문을 해도 좀처럼 대답하지 않는 학생들이 있다. 리아가 질색하는 건 잠자는 것이다. 그녀가 좀처럼 잠을 자지 않자 병원에선 결국 약물을 쓰기에 이른다. 그러나 그녀는 한밤중에도 결코 호출 버튼을 누르는 법이 없다. "여명이 비칠 때까지 그냥 기다려요." 그녀가 말한다. "창밖을 보면서."

아내 역시 그렇게 밤마다 버티고 있지만, 리아에게 말하지는 않는다.

리아는 법적으로 일 분간 죽어 있었으나, 아무것도 보지 못했다고 한다. 오직 암흑과, 진공청소기가 돌아갈 때처럼 나지막한 윙윙 소리만 들렸을 뿐.

지금 남자의 아내는 리아와 함께 포치에 앉아 나무들을 바라보고 있다. 이곳은 사방 어디를 봐도 나무들이다. 누군지는 몰라도 오래전에 나무가 만사를 해결해줄 거라 믿은 게 틀림없다. 다른 환자들은 돌아가며 작은 용기에 입을 대고 비눗방울을 분다. 여기선 흡연도 음주도 금지되어 있기 때문에 그러는 것이다. "위대한 푸른 지구." 리아가 그 광경을 보며 말하지만, 그 말은 농담이라기보다 오히려 그녀를 비탄에 젖게 만든다. "버텨." 남자의 아내가 말한다. "그냥 버텨."

29

기혼자들의 그 참혹한, 쫓기는 눈빛은 볼 만큼 보았다. 결혼한 사람은 늘 그런 눈빛을 하고 있었는데 그저 그녀가 이제 와서 보게 된 것일까?

딱 들어맞는 사례 : 남자의 아내는 어느 파티에서 우연히 C와 마주친다. 성공가도에 있는 남자와 결혼한 성공가도에 있는 여자다. 최근 그녀는 내로라하는 갤러리에서 전시회를 막 끝냈다. 그녀 남편의 작품은 모마MoMA의 상설 컬렉션에 포함되어 있다. 멋지고 멋지도다. 그러나 C는 남자의 아내에게 멋진 것들에 대해 이야기하지 않는다. 그녀가 화제에

올리는 건 가식을 떠는 그녀의 계약자, 스파의 서비스, 사립 유치원의 대기자 명단이다. 나중에 그녀의 남편이 묻는다. "아, C를 만났다고? 어땠어?" "온몸으로 분노를 뿜어내고 있었어." 아내가 말한다.

우리가 프랑스인이라면 이 사태가 전혀 다르게 느껴질 텐데, 아내는 생각한다. 설마, 그렇지 않아. 느낀다는 말은 이 상황에 적확한 단어가 아니야. 대학원생들이 그걸 뭐라고 말하더라?

의미하다signify.

이 사태가 그들에게 전혀 다르게 의미할 텐데.

개략적인 메모 : 만약 아내가 아내의 자격을 잃게 된다면, 그때는 그녀를 뭐라고 불러야 할까? 이 이야기는 다시 쓰여야 할까? 아내일 때와 이혼녀일 때 사이에는 한 시기가 존재하지만, 그 시기를 정의할 만한 말은 없다. 정치인이 쓸 만한 말은 어떨까. 무국적자라고. 그렇다, 적을 둘 곳이 없는 상태니까.

어느 쪽이든 꽤 오랫동안 많이 힘들 거예요, 정신과 의사가 하는 말이다.

중년이 되면 다음과 같은 일들이 일어난다. 몇 년 동안
별나게 구는 정도였던 몇몇 친구들과 지인들이 열이면 열,
모두 머리가 이상해진다. K는 남자의 아내에게 어린 시절부
터 알고 지낸 친구가 요새 화장을 너무 짙게 하고, 늘 땀을
흘리는 것 같다고 말한다. 그 친구가 말하길, K의 집들이 때
K부부 네가 식사를 준비하겠다고 했단다. "아냐, 그냥 몸만
와." K는 말했다고 한다. "다 준비돼 있어." 그런데 집들이
날 그 친구는 케일과 날고기가 든 가방을 들고 땀을 뻘뻘
흘리면서 갔다고 한다.

아내는 겁이 난다. 그녀로선 다 끝났다고 생각했다. 그가
죽을 때까지(하마터면 "만약 그가 죽으면"이라는 말이 입
밖으로 나올 뻔했지만, 그녀는 그를 너무도 사랑했기에 용
케 "만약"이란 말에서 끝냈다). 자신이 정말로 '사랑'이란
말을 입에 담은 것을 그녀는 알아차렸다.

"정신 차려야지! 정신!" 아내는 학생들에게 늘 그렇게 말
했었다. 지금 배우는 것이 중요하다는 것을, 이것을 알면 많

은 것을 쉽게 이해할 수 있다는 것을 알리고 싶어서였다.

예전에 그와 그녀는 서로 편지를 주고받았었다. 주소는 언제나 똑같았다. 사색의 부서.

그 편지들은 하나도 빠짐없이 아직도 그들의 집에 있다. 그녀와 마찬가지로, 그도 자기 책상 위 상자에 담아두었다.

"내 기분은 다만⋯." 그녀가 말하는데 정신과 의사가 말을 자른다. "알아요, 알아요, 다들 당신이 어떤 기분인지 정확히 안다고요, 그렇죠?"

"난 뭐야?" 그녀의 딸은 대화 내용이 자기의 이해를 넘어설 때마다 그렇게 묻길 좋아한다. "난 뭐야?" 낡은 나무토막에서 떨어져나온 부스러기 하나야. 남자의 아내는 생각한다.

언젠가부터 남자의 아내는 남편이 뭐라고 말하면 미친 듯이 웃다가 믿을 수 없다는 듯 그의 말을 반복해 되묻는 버릇이 생겼다.

근사하다고????

재미있다고????

  그녀는 곧 전부인이 될 여자가 전남편이 될 남자에게 이
런 수사학적 전략을 써서 말하는 것을 본 적이 있었다. 불쌍
한 것, 그때 여자는 그렇게 생각했다.

30

학부생들은 자살 농담을 이해하는 편이지만, 이혼에 관한 농담은 그야말로 그들 머리에 쏙쏙 들어간다.

진실을 가차 없이 까발리는 분이시네, 어느 파티에서 귀엽게 생긴 남자가 그녀에게 말했다. 그러고선 다른 여자한테 알랑거리러 갔다.

Q : 왜 그 불교 신자는 진공청소기로 구석 쪽은 청소를 못하는 거지?
A : 그 여자에겐 애착이 없거든.

남자의 아내는 간통을 다룬 몸서리쳐지는 제목의 책을 추천받는다. 그녀는 지하철을 타고 세 정거장 떨어진 곳까지 가서 그 책을 산다. 그 책을 읽는 경험의 모든 것이 타협하는 것 같아서 그녀는 마치 권총이나 1킬로그램의 헤로인을 감추려는 사람처럼 필사적으로 그 책을 집안 어딘가에 숨기려고 한다. 그 책에서 남편은 '외도 중인 배우자'로, 그 여자는 '상처받은 사람'으로 지칭된다. 그것 말고도 근질거리는 표현들이 많지만, 그래도 그녀가 크게 웃은 대목이 하나 있다. 각기 다른 문화에서 간통 이후 결혼 생활을 수습하는 방식들에 대한 주석이었다.

미국에서 외도 중인 배우자가 상처를 준 상대 배우자와 문제를 해결하는 데 드는 시간은 평균 1천 시간으로 추정된다. 서두른다고 해서 해결될 일이 아닌 것이다.

이 대목을 읽으면서 아내는 남편이 정말, 정말 안됐다고 생각한다.

이제 고작 515시간을 채운 남편이.

31

에피루스*에는 '어둠의 자식'이라고 불리는 거미가 있다.
사이프러스 사람들은 독사를 '귀머거리'라고 불렀다. 이는
매우 유독한 생물들을 일종의 암호로 부르자는 발상으로,
그럴 경우 그것들이 자기가 언급되어도 지각하지 못할 거
라고 계산한 것이다. 위험한 생물에 대해 언급하면 그것이
나타날 거라는 두려움이다.

그녀의 여동생은 자기 남편과 한 가지 거래를 한다. 어떤

---

* 그리스 북서부의 한 지방.

일이 있어도, 50년대처럼 비밀로 지키자고. 한 마디도 하지 말자고. 그녀가 아무도 아닌 것처럼 하기로.

막달이 가까웠을 때, 태아가 제대로 크질 않아 아내는 의사들의 지시대로 일주일에 한 번씩 병원에 가서 검사를 받았다. 그녀는 등받이가 젖혀지는 의자에 앉아 몸에 기계가 연결되면 심장박동 소리가 들리기를 기다렸다. 매번 아내는 그 소리가 들리지 않을까 무서웠지만, 이내 소리가, 말이 질주하는 것 같은 소리가 들렸다. 그 소리가 들렸을 때 남편이 그녀를 바라보던 표정. 그들이 느꼈던 벅찬 감정 이상의 감정은 결코 존재하지 않을 것 같았다.

변함없이 언제나. 작년 크리스마스에 남자는 아내에게 준 책 속에 그렇게 썼다.

어둠의 자식? 귀머거리? 좁은 방에 갇힌 존재?

아내는 비싼 미용실에서 머리를 자른다. 남편의 회사에 갈 때 입을 옷을 사러 돌아다닌다. 그를 만나 점심을 먹을 것이다. 둘은 이런 것을 해보기로 결정한 터다. 교양 있는 프랑스인이 할 것 같은 것을. 결국 여자는 부츠 한 켤레를 사서는 신어보지도 않고 집으로 가지고 간다. 나중에 상자를 열고 부츠를 본다. 평소에 신는 것보다 굽이 높다. 불편해 보인다. 그렇다면 왜 여자는 하고 많은 날 중 가장 불편한 이 날, 불편한 신발을 신으려는 걸까?

아, 그래, 그녀는 생각한다. 진화라는 거야.

왜냐하면 난 너보다 더 진화한 새거든!

그녀는 원래 있던 검정색 스니커즈와 청바지에, 언젠가 어떤 세련된 사람이 세련되어보인다고 말해준 셔츠를 입는다.

32

그녀가 가르치는 학생이었다면 지금 이 장면을 이렇게 쓰지 못하게 했으리라. 폭우가 쏟아지고 아내의 우산은 고장 나 있는데, 검정색 롱코트 차림의 젊은 여자라니. 그녀라면 제일 먼저, 남자의 아내가 지하철에서 불교 신자인 척하는 첫 번째 장면(나는 사람이다, 그 여자도 사람이다, 나는 사람이다, 그 여자도 사람이다, 기타 등등, 기타 등등)은 지루하니 들어내라고 할 것이다. 필요한 장면이라고? 그렇다면 이 장면을 제스처를 통해 보여줄 수는 없을까?

그녀라면 여자의 외모를 더 상세히 묘사하라고 할 것이다. 서로 악수하는 장면은 현실성이 떨어지니 걷어내고, 대화가 얼마나 허세에 가득 차 있는지를 지적할 것이다. (당신은 내 가족에게 큰 고통을 안겨주었어요. 내가 당신에게 추상으로만 존재하는 건 더는 원치 않아요.) 그녀라면 젊은 여자가 울거나 아니면 사소한 말을 하는 장면을 써둘 것 같다. 당연히 그 여자도 뭔가 느끼는 게 있겠지? 손을 부들부들 떨거나 하는 건 없나? 그 여자가 말없이 뒤돌아 자리를 뜨기 전까지는 이야기 흐름의 속도를 늦출 것이다. 이 장면에서 더할 건 없을까?

그녀라면 정말로 흥미로운 건 그 장면에 이르는 과정임을 강조할 것이다. 남자의 아내가 집을 나서기 전 자기 모습을 사진으로 찍고, 그 모습이 마치 풍동* 안에 서 있는 것처럼 보이고, 그녀가 지하철에서 내리기 무섭게 남편이 전화를 걸어 '오지 마. 계획이 달라졌어. 내가 밖으로 당신을 만나러 나갈게'라고 말하는 것. 남편은 그런 상황을 버틸 자신이 없다면서, 그 여자에겐 아내가 잠깐 들를 거라고 말했다고 한다. "대신 그 친구가 이리로 올 거야"라고 남편이 말한다. 그러나 그 여자는 오지 않는다. 사무실 안에 버티고 숨어 있는 것이다. 아내가 어떤 기분일지 좀 더 묘사를 하는 게 좋

---

* 비행기 자동차 등에 공기의 흐름이 미치는 영향이나 작용을 시험하기 위해 만든 터널형의 장치.

지 않을까? 생전 처음 감정의 파도가 온몸을 휩쓰는 것 같은 아내, 오후 한 시에 시내 어딘가의 모퉁이에 서서, 신문 자동판매기를 발로 걷어차며 고래고래 소리 지르는 그녀를. "당신은 어린애랑 잤어! 대가리에 피도 안 마른 년이랑! 개한테 당장 이리 내려오라고 해!" 이 장면은 감정이 극한에 달해 있는 상태야. 그래서 그녀는 남편이 그 여자에게 전화를 걸어 부드럽게 설득하는 장면 바로 뒤에 이 장면을 집어넣을 것이다. 부드럽게, 그냥 내려와, 부탁할게, 라고 말하며 한없이 다정한 목소리로, 미쳐서 날뛰는 아내 때문에 힘들게 해서 미안하다고 말하는 남편, 뒤에선 그의 아내가 고래고래 소리 지르고, 소리 지르고 또 소리 지르고 있고. 이윽고 남자의 아내는 목청을 낮추어 남편에게 천천히 그리고 분명하게 말한다. "그 여자한테 말해, 내려오지 않으면 내가 그 여자 사무실로 직접 가겠다고. 일을 관두면 살고 있는 아파트로 갈 거라고. 다른 데로 이사를 가면 거기도 찾아갈 거라고. 어떻게든 찾아낼 거라고 말해. 내가 찾아내는 건 끝내주게 잘한다고 말해, 지랄 염병하게 잘한다고 말하라고. 수단과 방법을 안 가리고 지구 끝까지 쫓아가서라도 그 여잘 찾아낼 거라고 말해." 사람들이 지나가면서 시선을 피한다. "좀 내려와." 그가 말한다. "제발 내려와줄 수 없을까? 부탁할게. 언제고 일어날 일이라고."

이제 비는 더 세차게 내리고 있다. 그들은 뼛속까지 젖어 가고 있다. "십 분." 남자의 아내가 뒤에서 미친 듯 소리친다. "시팔, 딱 십 분이야, 그게 내가 바라는 전부라고!" 남편에게 좀처럼 소리치는 법이 없었던, 하물며 공공장소에선 말할 것도 없었던 그의 아내. 여기서 시점이 바뀌는 것을 놓쳐선 안 돼. 문득 아내는 신문 자동판매기를 걷어찼던 발이 아파오는 것을 느낀다. 부러진 건 아닌가 싶다. 여기서 한 번 더 잠깐 멈춰. 다음 장면으로 넘어가기 전에 한 박자 쉬는 거야. 남편이 전화를 끊는다. 그의 두 손은 떨리고 있다. "내려온대." 그가 말한다. "금방 내려오겠대."

금방이라지만 긴 시간이다. 그들은 약속한 모퉁이에 서 있다. 당연하지만, 연극적인 비가 내리고. 아내는 여자가 어느 방향에서 올지 알고 있으므로, 출입구에서 물러서 있어야 한다고, 그러는 게 좀 더 사려 깊은 행동이 될 거라고, 그렇지 않으면 그 여자는 자기를 향해 똑바로 걸어올 수밖에 없을 테니 마음이 불편해질 거라고 생각한다. 그래서 그녀는 남편이 길가에 나가 서 있게 하고, 잠시 후 남편의 표정을 보고 여자가 왔음을 알게 되자, 그제야 길로 나가 서서 빗속에서 여자를 맞이한다. 여자는 그녀가 예상한 것보다

키가 작다. 긴 빨간 머리. 안경, 유행을 선도하는 스타일이다. 안경. 그 여자는 몸을 떨면서 서 있다. 두려움으로 떠는 거라고, 아내는 생각한다. 아니면, 뭔가 다른 감정 때문일 것이다. 아내가 말하는 동안 여자는 바늘 끝도 들어가지 않을 것 같은 태도로 서 있다. 이윽고 말이 끝나기 무섭게 그 여자는 돌아서 가버린다.

남편과 아내는 여자와 반대 방향으로 걷는다. 한 블록 남았을 때 그들은 말한다. "눈이 예쁘네." 아내가 말한다. 그들은 미리 정해둔 술집을 향해 걷는다. 그가 그녀가 들어가도록 문을 연 채 서 있다. "잠깐, 그 여자 앞머리가 짧았던가?"

33

"그 정도면 우리한테 벌을 줄 만큼 준 것 아니야?" 며칠 후 남편이 말한다. 우리? 아내는 생각한다. 저이가 우리라고 말했어? 맙소사.

그녀는 새로운 사실을 알게 된다. 온몸에 소름이 돋게 만드는 새로운 사실. 다음 날 그 여자가 남편을 불러내 함께 산책을 했다. 정정 : 다음 날 남편이 그 여자한테 갔고, 둘은 함께 산책했다.

남편이 이를 자진해 말하는 건 아니다. 모든 세부 사항이다 그렇듯, 그것도 '상처받은 감정의 소극장'에 있을 때 그의 입에서 조금씩 새어나온다. "그 친구가 펄펄 뛰었어." 그가 말해준다. "무방비 상태에서 급습 당한 기분이었대."

　미안해. 그의 아내는 그렇게 말할 생각을 한다. 미안해, 미안해.

　하지만 그날 밤, 택시 안에서, 그녀는 그의 나직하고 고통에 찬 목소리는 듣는 둥 마는 둥, 하늘에 뜬 달의 자리에만 신경 쓴다. 엄지손가락을 한 번 살짝 움직이기만 해도 달을 사라지게 할 수 있는 것에.

　하하하하하하하이병신같은년아하하하하하하

　"나 윙크하고 있어?" 그들이 집에 도착하자 딸이 묻는다. 딸의 한 눈은 감겨 있고 다른 눈은 씰룩거리고 있다.
　"아닌 거 같은데." 남편이 말한다.
　"지금은? 지금은?"

두 개의 웃긴 이야기

1) 한 남자가 강둑 위에 서 있는데 갑자기 강물이 흘러넘치기 시작한다. 그의 아내와 그의 애인 둘 다 강물에 떠내려가고 있다. 그는 누구를 구해야 할까?

그의 아내. (그의 애인은 늘 이해해줄 것이기에.)

2) 한 남자가 강둑 위에 서 있는데 갑자기 강물이 흘러넘치기 시작한다. 그의 아내와 그의 애인 둘 다 강물에 떠내려가고 있다. 그는 누구를 구해야 할까?

그의 애인. (그의 아내는 결코 이해하지 못할 것이기에.)

34

아내는《문명 속의 불만》*을 읽고 있다. 하지만 번번이 색인에서 글줄을 놓친다.

비유

추운 밤에 양말도 신지 않고, 40

신중한 사업가, 34

영구 세입자가 된 손님, 53

형편없는 장비로 극지방을 탐험하다, 98

---

* 프로이트가 문명과 사회와 종교에 관해 쓴 논문들을 모은 책.

그녀가 시골로 이사 갈지도 모른다고 말하자 사람들은 말한다. "외로워지면 어쩌려고, 겁나지 않아?"

외로워지면?

최근 여러 화상畫像* 연구 결과, 애정관계의 파탄 때문에 느껴지는 고통은 감정적 차원에서 끝나지 않는다는 것이 밝혀졌다. 최근에 버림받은 사람들의 뇌 속에선, 신체에 가해진 상해를 처리하는 뇌 내 영역과 비슷한 영역에 밝은 빛이 켜진다.

존 베리먼이 한 말. 난 사무치도록 혼자다. 내 눈엔 끝이 보이지 않는다. 우리 모두 도망칠 수 있다면 차라리 더 나을 것 같다.**

밤이 되자, 그들은 서로 손을 잡고 침대에 눕는다. 만약 들키지 않을 수 있다면 아내는 이 상태에서 남편이 잡은 손의 가운뎃손가락을 세우고 있을 수 있다.

---

* 초음파 단층장치를 이용해 체내 상태를 화상화하는 방법.
** 존 베리먼의 연작시 〈꿈의 노래Dream Song〉 중 28번째 시로, 길 잃은 양의 고독과 공포, 힘겨움을 토로하는 내용.

우리 함께 늙어가요. 가장 좋은 날은 아직 오지 않았으니.* 결혼 기념 섹션에 꽂혀 있는 카드마다 쓰여 있는 말.

그러나 아내가 줄곧 외우고 있는 예이츠의 다른 시구들이 있다.

내 심장을 태워버려라, 욕망에 병들고,

빈사의 짐승에 묶여 있으니.**

모든 것이 산산이 부서진다.***

"그 여자 머리가 길고 빨갛더라." 아내가 여동생에게 말한다. "내가 예전에 물들였던 것과 똑같은 색이야."

아내는 임신하고 머리 염색을 하지 않았다(머리를 염색하

---

* 시인 로버트 브라우닝이 아내 엘리자베스 브라우닝에게 바친 시의 한 구절로, 존 레논이 곡을 붙여 더욱 유명해지기도 했다.
** 예이츠의 시 〈비잔티움에로의 항해Sailing to Byzantium〉의 한 연으로, 노년의 고뇌와 그를 극복하기 위한 영혼의 여행을 꿈꾸는 내용이다.
*** 예이츠의 시 〈재림The Second Coming〉의 한 구절. 기존 체제의 붕괴가 또 다른 체제를 잉태하는 계기가 될 수 있음을 노래한 시다.

는 허영에 찬 여자들한테서는 손이 없는 괴물 아기들이 태어나기 때문이다). 그러나 이후로도 다시 염색하는 일은 없었고, 현재 그녀의 머리는 몇 년째 새치로 희끗희끗하다.

이혼을 기원하는 주문. 더 푸르게! 더 푸르게!

가끔 그녀는 머릿속에서 남편에게 말을 건다. 당신은 내가 모른다고 생각하지. 난 알아. 예전에 그 남자애 옆에 누워 자고 있을 때 쥐 한 마리가 내 머리칼을 헤치고 달려갔지만 난 꼼짝하지 않았어. 그가 침대를 벗어나는 게 싫었기 때문에.

사랑처럼 느껴지는 사랑은 파탄날 수밖에 없는 사랑 말곤 없다. (웃기는 사실)

당신의 가장 행복한 기억 속에 나도 있기를 바랐었어.

나중에 아내는 그것이 무엇이었는지, 남편이 그 문장의 단어 하나하나를 그렇게 특별히 강조했던 까닭을 알게 된다.

신사 숙녀 여러분, 검찰 측 진술을 마칩니다.

심리학과 인지과학 분야에서, 확증편향은 자신의 선입견에 부응하는 새로운 정보를 찾거나 해석하는 반면 기존의 신념에 어긋나는 정보와 해석은 기피하는 경향을 뜻한다.

"당신은 날 만화에 나오는 아내로 만들어버렸어." 그녀는 그에게 말한다. "난 만화에 나오는 아내가 아니야."

석가모니는 그의 아들에게 '라훌라'라는 이름을 주었다. 라훌라의 뜻은 '족쇄'다.

석가모니는 그의 아들이 태어난 지 이틀 만에 아내를 저버렸다. 떠나지 않았다면 그는 결코 깨달음에 이르지 못했을 것이라고, 학자들은 말한다.

우리로 말하자면, 우리의 인생은 풀과 같구나.*

"우린 몰라, 하지만 카드는 알아." 나중에 카드게임을 할

---

* 성서의 시편 103장 15~16절 '인생은 풀과 같은 것, 들에 핀 꽃처럼 한번 피었다가도 스치는 바람결에 이내 사라져 그 있던 자리조차 알 수 없는 것'에서 가져온 것으로, 유한한 삶의 덧없음을 뜻한다.

때 그녀의 딸이 말한다.

남편을 버릴 거야? 남편이 널 버리겠대? 너 남편을 버릴 수 있을 것 같아?

이런 질문들을 던지는 건 그녀의 기혼 친구들이다. 독신자들은 그런 질문을 하지 않는다. 그들은 이 문제를 더 단순하게 생각한다. 어떨 때 그녀는 울음을 터뜨린다. 어떨 때는 어깨를 으쓱한다.

카드는 안다.

35

그의 아내는 그와의 결혼생활을 원치 않은 적이 단 한 번
도 없었다. 틀린 말처럼 들리지만 사실이다.

물론, 다른 사람들과 자고 싶었던 적도 있었다. 특히 한
두 명과 그랬다. 그러나 사실인즉 그녀는 자신의 충동을 꽤
잘 다스리는 사람이다. 그 덕에 그녀는 지금껏 살 수 있었다.
또, 그 덕에 혜로인 중독자가 아닌 작가가 될 수 있었다. 그
녀는 행동하기 전에 생각한다. 더 적절하게 말하면 그녀는
행동하는 대신 생각한다. 성격상의 결함이다, 미덕이 아니라.

혹시 이중생활 해? 그녀가 모든 친구에게 던지는 질문이다. 작가 중에 그런 질문을 하는 사람은 거의 없다. 하지만 몇몇 사람들은 대답도 하기 전에 시선을 피한다. 아니, 라고 그들은 대답한다. 그렇지 않으면, 그녀에게 모든 것을 털어 놓는다.

그녀는 이중생활을 한 적이 없었다. 하지만 이 모든 일을 겪은 후, 그녀도 얼마간의 이중생활을 한다. 그러나 그 비밀스러운 면이 너무도 하찮아서 정말 이중생활을 할지도 모르는 누구에게도 말할 수가 없다.

가령 두 남자가 그녀에게 음악을 보내고 있다든가, 그녀가 요가를 배우러 다닌다든가, 철학자에게 빌린 400달러를 봉투에 넣어 옷장 안에 숨겨두고 있다든가, 인세 수익 수표를 받고도 현금으로 바꾸지 않고 있다든가 하는 사실들….

"가끔 복수하는 생각을 해." 그녀가 그에게 말한다. 그가 움찔한다. "복수를 한다면 어떤 식이 될까?"

아프리카에선 불륜을 저지른 남녀를 함께 묶어 악어들이 있는 강에 던졌다.

고대 그리스에선 항문에 뿌리채소를 쑤셔넣는 형벌에 처했다.

프랑스에선 불륜을 저지른 여자를 발가벗긴 후 길거리에 풀어놓은 닭을 쫓게 했다.

3호실?

둘이 어떻게 만났는가? 맨 처음 순간으로 되돌아가라.

이는 간통을 극복하는 지침서에 나오는 평가지의 내용이다.

보이저 호 중 하나가 다른 별과 조우하게 될 날은 까마득한 미래가 될 것이다. 설령 만난다 해도 서로의 거리가 아주 가깝진 않을 것이다. 로스 248이라는 이름의 적색 왜성이 있다. 4만 년 후에 보이저 2호가 그 별에서 1.7광년 안으로 들어가게 되지만, 여전히 먼 거리여서 한 점 불빛에 지나지 않아 보일 것이다. 천문학자들은 보이저 2호의 둥근 창을 통해 보이는 이 왜성이 천 년에 걸쳐서 서서히 밝

아지다가 그보다 더 긴 세월을 거쳐 서서히 어두워지는 것
처럼 보일 거라고 말한다.

그녀가 철학자에게 한 이야기 중 다른 사람이라면 과연
이해했을까 싶은 게 하나 있다. 그 이야기를 다른 사람에게
한다면, 그들은 그녀가 스스로를 비하한다고 생각할지도 모
른다. 그러나 그녀는 자신을 비하하는 것이 아니다. 그녀는
종교적인 태도를 취하고 있다. 그러니까 이런 것이다. 설령
남편이 믿을 수 없을 정도로 비겁한 방식으로 그녀를 버린
다 해도, 그녀는 변함없이 그와 함께 했던 모든 행복한 날
들을 기적으로 여길 것이다. "내가 그를 찾아낸 건 정말 죽
여주는 기적이었어." 그녀는 철학자에게 말한다. "죽여주
는 기적. 과거시제." 그들은 옛날 기숙사 방에 있을 때처럼
바닥에 책상다리를 하고 앉아 있다. "내가 나가떨어질까 봐
겁이 났었던 것 같아." 그녀는 말한다. "나가떨어지는 건 끔
찍하니까. 나가떨어지면 모든 것을 잃게 되니까." 그는 고개
를 끄덕인다. 문득 보니 둘 다 살짝 울고 있다.

나중에 그가 그녀에게 전화를 건다. "남편을 시골로 데려
가. 원하면 육 개월 후에 그를 떠나도 돼, 하지만 그를 여기

서 몰아내라고."

간통을 극복하는 지침서에선 배우자가 외도를 저지른 후 있던 곳에서 대대적으로 떠나는 것은 결코 현명치 못한 행동이라고 말한다. 안타깝지만 지리적인 치유책이란 없다.

개똥같아, 그녀의 여동생이 말한다.

그녀는 동생네를 방문하고, 런던에서 남편에게 편지를 쓴다. 발신인 주소란에 이전 주소를 써야 할지 알 수 없지만 마지막 순간에 써두긴 한다. 어쨌거나, 지금 그녀는 사색 중이므로.

여보.
그 도시는 잊어버려. 더이상 우리에게 남은 건 없어. 새들마저 떠나고 있잖아. 어제 내가 탄 비행기가 이륙할 때 활주로에 비둘기 두 마리가 있는 걸 봤어.

그녀는 그 도시를 제자들에게 맡기려 한다. 절연테이프로 신발 두 짝을 붙여놓는 학생들, 버려진 우산을 보면 울기 시작하는 학생들, 생경한 러시아 캔디와 할랄 염소 고기를 사는 학생들. 바로 지난주에, 그녀의 사무실 밖에서 구름의 모든 종류를 외우고 있던 한 학생(이 경우는 필요할 수도 있다는 계산하에서였다).

"지금까지 살면서 형부한테 일어난 힘들었던 일이 뭐야?" 그녀의 동생이 그녀에게 묻는다. 그에 대한 대답은 '아직껏 아무것도 없다'는 것이다.

"그게 문제네." 동생이 말한다. "형부는 오하이오 출신의 착해빠진 소년이야. 그래서 이런 문제를 어떻게 해결해야 하는지 전혀 모르는 거야."

잠시 침묵이 흐르고, 아내는 자기도 동생도 그렇게 성장하는 것은 어떤 건지 궁금해 하는 거라고 생각한다. 자매는 어렸을 때 어머니를 여의었다. 아버지는 같이 살지 않았다. 시련이란 걸 겪을 일이 없어 늦게 철이 든다는 건 어떤 것일까? 언제나 집 앞 현관에서 저녁을 먹으라고 불러주는 사람이 있다는 건? 남편에겐 보살핌을 받지 못하고 자란 사람 특유의 분위기 같은 건 일절 없다.

하지만 그 여자에겐 있어, 그녀는 확신한다. 자신의 과거

사의 어떤 점을 생각하면 그녀는 손에 잡히는 대로 갈기갈기 찢어버리고 싶다.

가령 평행우주 같은 것이 있다면, 아내와 그 여자가 친구가 될 수도 있을까? 전에 그녀가 가르쳤던 대학원생들에게서 그와 비슷한 이야기들을 들은 적이 있었다. 슬퍼 보이는 유부남에 관한 이야기, 매정한 아내에 관한 이야기, '난 다만 그에게 음악을 보냈을 뿐이야'를 변주한 이야기.

그녀는 그 여자와 점심을 먹으면서 그 여자가 사랑한다고 짐작되는 유부남에 대한 이야기를 듣는 상상을 한다. 그 여자는 그 남자를 취하게 해서 실토하도록 해야 할까? 그 여자는 그도 자신과 같은 감정일 거라고 거의 확신하고 있다. 그가 그 여자를 바라보는 눈빛, 그들이 점심을 먹고 함께 걸어서 돌아가는 길, 둘의 손은 닿을락 말락 하는데.

앤 드루얀의 말. 이제 막 사랑에 빠진 여자의 뇌파를 일 분 길이로 잘라 압축하면 폭죽 터지는 소리가 난다.

최근의 게시물

인간은 왜 나이를 먹는가?

가장 살기 좋은 곳은 어디인가?

어느 원칙들이 옳은가?

외계인은 존재하는가?

그녀가 이제껏 좋은 아내였다는 것은 여러 가지 사례로 알 수 있고, 몇몇 사례들은 설령 반대심문을 한다 해도 거리낄 것이 없을 정도다. 하지만, 그녀가 그 사례들을 열거할 생각을 하면, 머릿속에서 텔레비전에 나오는 변호사 목소리가 떠나지 않는다.

그 목소리는 말한다. 특별 변론* 없습니다.

---

* 재판에서 상대방의 진술에 반증을 드는 것.

36

이젠 별들도 달리 보인다. 그 여자는 야외 활동을 즐긴다
고, 남편이 말했었다. 아내는 남편과 그 여자가 산속에서 캠
핑하는 광경을 계속 상상하게 된다. 별자리 이름들을 차례
대로 말해주는 남편, 부드럽기 그지없는 스웨터 안의 몸을
바짝 긴장한 채, 고개를 끄덕이며 그 너른 하늘을 올려다보
는 어린 여자.

간통 극복을 위한 지침서에선 매일 어떤 긍정적인 말을
하라고 조언한다. 자신에 대해서, 자신의 결혼생활에 대해
서. 아내는 그 책에서 제시한 예들이 마음에 들지 않아 자기

나름대로 새로 만들어본다.

강심장이다.
인간 같지 않은 것들은 절대 봐주는 법이 없다.

아내는 아침에 이를 닦으면서 이 말들을 반복해 말하려
고 애쓴다. 도저히 입이 떨어지지 않을 때도 가끔 있다. 어
떤 땐 입을 벌려 피가 나는 잇몸을 보는 것으로 대신하기도
한다.

어느 날 '상처받은 감정의 소극장'에서 남편이 별거하는
게 좋겠다고 선포한다. 아내는 망연자실해진다. 지금까지
그녀에게 아무 말 안 하던 그가. 그러나 정신과 의사는 만류
한다. "그럴 바엔 차라리 이혼하는 게 나을 거예요"라고 말
하면서. 얼마 후, 아내는 이 주 후에 남편과 비행기를 타고
오하이오에 가서 모두 금발인 그의 가족을 만날 계획이 있
다는 걸 기억해낸다. "나는 이번엔 안 갈까 봐." 그녀가 말
한다. "안 돼," 남편이 말한다. "당신도 가야 해." 그녀는 그
를 쳐다본다. "내가 왜?" 그는 너그럽게 한 손을 흔든다.
"왜냐면 우리는 아직?" 부부잖아, 라는 뜻이리라.

릴케의 말. 나는 비밀스러운 것들을 아는 사람들과 어울리고 싶다. 그게 아니라면 혼자 있겠다.

일 년 전, 철학자의 형이 동맥류로 급사했다. 그에겐 아내가 있었고, 아이는 없었다. 그는 콜로라도에 살았고, 나무로 우편함 만드는 일을 했고, 신문인쇄용지에 인쇄한 카탈로그를 통해 그것들을 팔았다. 다음날 철학자는 비행기를 타고 형이 살았던 소도시로 갔다. 그는 형수와 함께 목재상에 가서 관을 만드는 데 쓸 소나무를 샀다. 그런 후 형의 가게로 가서 마분지에 스케치를 한 후 작업을 시작했다. 몇 시간 후, 형수가 와서 그를 관찰했다. 그는 형수에게 담요를 둘러주고 차도 타 주었지만, 굳이 집 안으로 들어가라고 등을 떠밀지는 않았다. 밤이 새도록 그녀는 시동생이 톱질하고 망치질하는 것을 지켜보았다. 입김이 눈에 보일 정도였어, 그가 말했다.

남자의 아내가 오후 두 시 삼십 분에 철학자에게 메시지를 보낸다. "난 쌩쌩하게 깨어 있어. 너는?"

"혹시 당신이야?" 그녀는 그에게 편지를 쓸 생각을 한다.

아내는 가끔 아침 시간에 철학자의 집에 가고, 그들은 함께 부엌에 앉는다. 둘이서, 그들은 만물의 법칙을 만든다. 공기 중에 전류가 흐르는 것처럼 느껴진다. 그도 그걸 느끼는지, 아니면 그녀 자신이 상상한 일종의 기후인지 자꾸만 그에게 묻고 싶어진다. "솔직하게 말해줘. 내가 미친 것 같아?" 그녀가 묻는다. 그는 그녀를 위해 요리한 달걀을 그녀 앞에 내려놓는다. 그리고 한참을 말이 없다가 고개를 흔든다. "넌 쌩쌩하게, 쌩쌩하게 깨어 있는 것 같아." 철학자가 말한다.

그녀는 철학자의 장례식에 가면 기분이 어떨까 상상한다. 남편의 장례식에 간다면 기분이 어떨까. 그녀는 한 손을 심장에 잠시 얹은 채 그대로 있다. 그래, 아직 뛰고 있어.

마틴 루터 킹의 말. 신념은 왼쪽 젖꼭지 밑에 있다.

37

그리고 얼마 지나지 않아 또 한 번 다투게 된다. '우리'라
고, 남편이 그 여자 이야기를 하다가 또 한 번 그렇게 말한
것이다. 아내는 한밤중에 집을 나가 호텔로 간다. 다른 누구
집 소파에서도 잘 수 없을 것 같아서, 다른 집 남편들을 볼
자신이 없어서, 아이들을 볼 자신이 없어서, 차를 타고 시내
를 가로질러 홀리데이 인 익스프레스*로 간다. 그녀는 숙박
계에 기재하는 자신을 지켜본다. 체크인하는 자신을 지켜본
다. 그녀가 나가면서 문이 쾅 소리 나게 닫히는 것을 보고

---

* 출장 중인 사람이나 단기 체류자들을 대상으로 하는 저가형 호텔.

남편이 뭔가 느꼈기를 바란다. 그러나, 과연?

그녀는 나오면서 칫솔을 챙기지 못했다. 책도 없다. 수면
제조차 챙겨오지 못했다. 그녀는 휴대전화를 켜두고 있다.
그는 전화하지 않는다. 그녀는 문자로 자기가 있는 곳을 알
린다. 혹시 아이가 엄마를 찾으면, 이라고 문자를 보낸다. 그녀
의 귀에 자신이 내고 있는 소리가, 나직한 소리, 반은 울고
반은 꺽꺽대는 소리가 들린다.

난 호텔에 있어, 그녀는 생각한다. 호텔에선 무슨 짓을 해도 괜
찮아. 이제 그녀는 호텔방 안의 서랍이란 서랍은 모조리 뒤
져본다. 그녀가 찾고 있는 건 무엇인가? 권총? 바늘? 그녀
는 침대에 있다가 의자로 갔다가 책상으로 가보지만, 그녀
의 머릿속을 잠재울 만한 곳은 어디에도 없다.

새벽이 되자 그녀는 다시 거리로 나서고, 집까지 타고 가
려고 콜택시를 부른다. 전화를 받고 온 운전기사는 그녀가
창녀라고 생각한다. 룸미러로 그가 그녀에게 미소 짓는 것
이 보인다. 그녀가 딸이 깨기 전에 집에 도착해야 한다고 말
하자 그는 그녀를 위해 속도를 올려 적막한 도로를 달린다.

그녀가 집에 돌아온다고 달라지는 건 없다. 그는 자고 있다가 잠에서 깨어나지만 그녀를 쳐다보지도 않는다. "당신이 나간 거잖아." 그는 투덜거린다. "당신 발로 나갔다고." 목소리를 낮춰 말다툼하고 나자 그가 자리에서 일어나 옷을 입는다. 그의 눈빛에 떠오른 뭔가를 보고 그녀는 주춤한다. "거기 갈 생각을 하는 건 아니겠지?" 그녀가 묻는다. 그의 표정에서 그녀는 '갈 거야'라는 대답을, 그가 그럴 생각임을 확인한다. 생전 처음으로 그녀는 되받아칠 수 없는 카드를, 즉 딸의 이름을 내놓는다. "가고 싶으면 가, 하지만 이렇게는 안 돼. 그런데도 간다면 당신은 우리 아이의 삶을 흔드는 짓을 하는 거야."

그녀가 말하는 '이렇게는'이란, 얼굴을 흔들고 두 손을 부들부들 떨며 두 눈은 쫓기는 짐승 같은 상태를 의미한다. 그녀는 그의 어깨에 한 손을 얹지만 그는 뿌리쳐버린다.

베이비시터를 불러 딸을 데리고 나가게 한다. 아내의 전화를 받은 철학자가 곧바로 온다. 그녀는 거리로 나가 그를 기다리고 있고, 그는 와서 그녀가 쓰러지지 않게 부축해주어야만 한다. 한 무리의 파키스탄 남자들이 심드렁하게 구경한다. "그이를 잡아줘." 그녀가 애원한다. "오늘 밤만. 떠나지 못하게 해줘. 그렇게 해준다고 약속해."

철학자는 그를 자기 아파트에 묵게 한다. 그의 아파트엔 소파가 없어서 그는 남편을 데리고 이케아에 가고, 두 남자는 여분의 침대를 사기 위해 함께 돌아다닌다. 무슨 시트콤도 아니고. 얘기를 전해들은 아내는 생각한다. 하지만 어느 장면에 래프 트랙*을 넣어야 하지? 두 남자가 이케아에서 이 침대 저 침대를 테스트해볼 때? 아니면 나중에 집에 가지고 가서 조립할 때?

돌이켜 생각하면 그가 왜 떠나고 싶어 하는지 얼마든지 이해할 수 있다. 그에게 머리끝까지 화가 난 두 여자가 있다. 한 여자를 행복하게 해주려면, 그는 지하철을 타고 도시를 횡단해 그녀의 집 앞으로 가야 한다. 다른 여자를 행복하게 해주려면, 그는 그녀의 머리카락으로 짠 헤어셔츠**를 입고 한없이 오랜 시간을 보내야 한다.

---

* 관객의 웃음소리를 녹음한 음향효과.
** 과거 종교적 고행을 행하던 이들이 입었던 거친 천이나 동물의 털로 만든 옷.

38

전 애인에게서 전화가 온다. 그녀와 얘기를 하고 싶단다. 그녀는 공원의 한 벤치에서 그를 만난다. 그녀는 그에게 할 말을 생각하고 연습하느라 밤을 꼬박 샜다. "멋있어 보여." 전 애인이 말한다. "눈부실 정도야, 정말로." 최근 누구 할 것 없이 그녀에게 하는 말이다. 그녀가 반짝반짝 빛을 발하는 것 같다고 한다. 그녀는 요가 얘기를 꺼낼 생각은 없다. 요가 덕이 아니다. 스크림*이 떨어져나갔기 때문이다. 알았어, 알았어, 요가 덕이라고 해두자고. 대화에서 스크림을 작

---

* 연극무대에서 쓰는 배경막으로, 벽이나 안개의 효과를 연출할 때 주로 쓰인다.

동하는 게 쉽지 않은 건 사실이다. 그녀는 그를 보며 미소
를 짓는다. 그녀 옆에 앉아 있는 그의 무릎이 그녀의 무릎
에 닿을락 말락 한다. 그들은 사소한 이야기를 주고받는다.
그는 늘 그랬듯 똑똑하고 재미있고, 이제 스피드 중독도 벗
어났다니, 횡재가 아닌가. 개를 산책 시키는 사람들이 지나
간다. 나뭇잎들이 예쁘게 떨어져내린다. 아내는 자신의 상
황을 내비친다. 처음엔 완곡하게, 나중엔 적나라하게. 그녀
가 이야기할 때, 그녀의 전 애인은 그녀를 바라보고 미소 짓
고 웃기도 한다. 그런데 갑자기 급히 시선을 거두는 것이 그
녀의 눈에 들어온다. 그녀가 너무 빨리 말하고 있는지도 모
른다. 두 손을 떨고 있는지도 모른다. "심장이 꼭 종이 봉지
같아." 그녀가 말한다. "그래 보이지 않아?" 그를 보며 그녀
는 확인한다. 지금의 자신은 그가 애초 생각했던 모습과 다
르다는 것을. 그의 얼굴 위로 뭔가 스쳐 지나간다. 두려움?
연민? 그녀는 하던 말을 억지로 삼킨다. 지금 그가 영 불안
해하는 것이, 이 자리를 벗어나 회의에 가려는 눈치임을 그
녀는 읽는다. "후원자가 있어야 할 것 같아." 그녀는 그에게
말한다. "다들 그런 말을 하지." 그가 그녀에게 말한다. 그
들은 자리에서 일어선다. 그러고는 한참을 걸어 지하철역에
도착한다. 그녀는 다른 방향을 택해야 한다. 다른 길로 가야

한다. 다른 사람이라면 양해를 구하고, 우아하게 손을 흔들며 퇴장할 것이다. 하지만 아뿔싸, 가혹하게도 그들은 모퉁이를 빙 돌고, 가혹하게도 그들은 아치와 벤치들과 신문판매점을 지난다. "잘 지내." 심상치 않게 휘청거리며 멀어지는 그녀에게 그가 말한다. 이곳의 건물들을 보고 있으니 눈이 아프다. 더 푸르러졌구나, 그녀는 생각한다. 나무들과 물이 있다. 넓게 펼쳐진 잔디밭, 지나치게 많은 사람들. 그녀는 조심스레 몸을 가누며 공원 끝까지 걸어간다. 사방이 트인 공간에서 보호받지 못하고 있는 느낌이다. 나는 자연 앞에선 꼼짝을 못 하는구나, 그녀는 생각한다.

카프카의 말. 나는 눈을 감기 위해 쓴다.

39

한때 세계는 온통 에테르로 가득 차 있었다. 팔꿈치 안쪽
에도. (하늘에도.) 에테르는 별들의 운행 속도를 늦추었고,
왼손에게 오른손은 어디로 갔느냐고 물었다. 그러더니 에테
르는 사라져버렸다. 히스테리처럼, 텅 빈 지구처럼. 그 소식
이 라디오를 통해 전해졌다. 이제 남은 건 공기뿐입니다. 실험을
폐기하십시오.

아내는 병원에 가고 싶다. 하지만 병원에 가서 영영 돌아
오지 못하는 건 싫다. 가면 돌아오지 못할 수도 있다. 그녀
가 가면, 남편이 악용할 수도 있다. 하지만 혼자 있으면 그

녀 주변의 사물들이 억하심정을 품고 털을 곤두세우는 것
만 같다. 그녀는 이에 매혹되지만 누구에게도 들켜선 안 된
다. 그녀는 딸에게 점심 도시락을 싸주고 잘 때는 책을 읽
어준다. 놀이터에선 자식이 무탈하게 노는지 지켜보는 분
별 있는 엄마 연기를 한다. 직장에 가면, 업무 전반에 관해
말하는 자신을, 위에 둥둥 뜬 채 내려다본다. 그녀는 중독자
못지않게 기민하다. 말이 잘못 나와도 눈치 채는 사람이 없
도록 수습한다. 일주일에 한 번씩 '상처받은 감정의 소극장'
에 가서 분별 있게 미래에 대해 이야기하지만, 남몰래 책과
일기장에 돈을 숨겨두고 있다. 밤을 꼬박 새다시피 하는 그
녀의 뇌에서는 윙윙 소리가 난다. 그녀는 다른 도시에 있는
학교의 학사 일정들을 찾아본다. 자동차, 난방비, 건강보험
비용을 조사한다. 그녀는 계획 A, 계획 B, 계획 C, 계획 D,
계획 E까지 세운다. 남편이 포함된 계획은 한 개뿐이다.

그녀의 동생이 관 이야기를 귀 기울여 듣더니 말한다. "오
케이, 형부랑 절대로 외출하지 않았던 이유를 다시 말해줘."

"난 당신이 괴물 예술가가 되고 싶어 했다고 생각했는
데." 남편이 말한다.

철학자의 형수가 상喪 중에 착용하는 골동품 보석 한 점을 주문했다. 고인의 사진을 집어넣게 되어 있는 작은 황금 로켓이다. 겉면엔 작은 장미가 아로새겨져 있다. 그러나 안쪽에는 뒤따를 준비를 하라, 라는 문장이 새겨져 있다. 19세기. 기가 차는군. 그 시대 사람들은 미적거리는 법이 없었다.

빵 바자*는 어땠어?

그녀는 가장 친한 친구에게 문자를 보낸다. "11pm. 남편은 아직도 비디오게임 중." 작게 땡 소리가 들린다. 남편이 그녀를 바라본다. "나한테 보냈어."

여동생은 승산이 있는 계획을 제시하는 사람이다. 이번의 계획은 언니 부부가 펜실베이니아에 있는 자신의 허름한 오두막으로 이사 가서 거의 공짜로 사는 것이다. 아내는 학교 일정을 확인한다. 자동차 보험을 확인한다. 장작 비용을 확인한다. 남편을 위해 양봉과 닭 사육에 관한 책들을 주문하고, 그곳에 가면 강아지를 입양할 생각에 이런저런 서식

---

* 학교나 자선단체에서 기금을 모으기 위해 빵이나 케이크를 구워 파는 행사.

들을 작성한다. 그녀는 우주항공에 관한 800페이지에 달하는 책을 읽으며 팩트 체크를 한 다음, 학교 시험 채점을 열네 시간 만에 끝낸다.

사고비약*은 없는지?
언어촉박**은 없는지?
거창한 계획은 없는지?

없어.

이미 시골로 이사 간 사람들은 경고한다. 프래킹***이 실시되지는 않는지 살펴볼 것. 진드기가 없나 확인할 것. 염소는 키우지 말 것.

뒤따를 준비를 하라, 아내는 생각한다. 남편은 거의 한 마디 말도 없지만, 자동차 지붕에까지 짐을 실은 후 차에 탄다.

---

* 연상활동이 지나치게 빨라 대상자의 생각과 대화가 한 주제에서 다른 주제로 빠르게 진행되는 현상으로 양극 장애, 조현증, ADHD의 증상 중 하나.
** 역시 양극 장애, 조현증, ADHD의 한 증상으로 떠벌림이 심한 경우.
*** 혈암층에 고압으로 액체를 주입하는 수압 파쇄를 통해 셰일 가스나 석유를 추출하는 기술.

그들은 딸에게 도착하려면 네 시간이 걸린다고 말해두었다. 오 분마다 딸은 앞으로 몸을 빼고 했던 질문을 또 한다. "한 시간 됐어? 한 시간 됐어? 한 시간 됐어?" 그리고 이윽고, 그들은 도착한다.

40

그의 아내는 얼마 전부터 이중생활을 계획하고 있다. 그 안에서 그녀는 괴물 예술가다. 그녀는 요가 팬츠를 입고는 요가를 하러 갈 거라고 말한다. 그런 후 시골길로 벗어나 장보기 목록에 작고 알아보기 힘든 필체로 글을 쓴다. 글을 좀 더 유려하게 쓰려면 약을 끊어야 할지도 모르겠다고 생각한다. 어쩌면 그건 좋은 생각이 아닐 것이다.

어쩌면 그렇다는 것뿐이지.

이곳은 가을이 일찍 찾아온다. 그리고 별이 너무 많은 것을 보니 기분이 심란하다. 밤이 되면, 아내는 곰이 나타나면 어쩌나, 굴뚝에 불이 나면 어쩌나 하는 걱정에 뜬눈으로 누워 있다. 집 안에서 사는 거미 떼도 걱정이다. 남편은 염소를 키우고 싶어 한다. 딸은 브루클린이 그립다며 울어댄다.

아내는 책 속에 숨겨두었던 20달러 지폐를 끝도 없이 발견한다. 그리고 그녀가 글을 써놓은 작은 쪽지들도. 여기 신용카드 영수증 뒷면에 그녀가 휘갈겨 쓴 글이 있다. 그녀는 눈을 가늘게 뜨고 자신이 쓴 것을 읽는다. 나는 한 점 부끄럼 없는 마음으로 가르치지만, 최근 들어… 최근 들어, 내 창문은 좀 더 러워졌다.

이쯤 되니 책 속에 또 다른 것을 숨겨놓게 된 경위를 어쩔 수 없이 생각하게 된다. 그것은 이혼한 친구가 보내온 모노폴리 게임 카드다. 거기엔 이렇게 쓰여 있다. 감옥에서 자유의 몸으로 풀려나다.

그러나 이제 그녀는 스물네 시간 지쳐 있다. 얼마나 느리게 걷고 있는지 그녀 자신도 실감할 정도인데, 마치 공기 자체가 엄청나게 고압적인 존재라도 되는 것 같다. 정신과 의

사 말로는 그녀가 지금껏 쉼 없이 아드레날린을 분비해왔고 이제야 분비가 줄어들기 시작하는 거라고 말한다. "조심하세요." 그녀는 말한다. "마음이 어두운 곳으로 가는 걸 막아야 해요."

맞아. 아내는 생각한다. 알겠어. 그녀는 한밤중에 밖에 나가 하늘을 본다는 말은 하지 않는다. 티셔츠 바람에 맨발로, 오들오들 떨며 서 있다는 것을. 이 바람을, 부서질 듯 가지를 뻗은 이 나무를 보라. 연극적인, 이 공포를, 그녀는 느낀다.

그리고 여기선 모두가 너무 천천히 운전한다. 미안해요, 아내는 차를 지그재그로 몰면서 생각한다. 미안해요, 미안해요.

그들은 딸이 깨어 있을 때는 그 문제에 대해 한 마디도 하지 않는다. 그것이 벌레들인 양 딸에게 덤벼들지 못하게 하지만, 그럼에도 그것은 모든 것의 저변에 존재하는, 광폭한 기후처럼 낮게 웅웅 울려댄다.

어느 날 아침 그녀는 딸을 데리고 놀이터에 간다. 햇볕이 그들 위로 쨍쨍 내리쬔다. "다들 어디 갔어?" 딸이 묻는다. 아이는 풀이 죽은 채 정글짐 위에서 이리저리 몸을 흔들고, 얼마 후 그들은 다시 집으로 돌아간다.

아내는 이곳이 아름답다는 사실에 주목할 것을 자꾸 상기하지 않으면 안 된다. 한 주간 비가 내리고 나면 그녀는 숲으로 산책을 간다. 남편의 무거운 부츠를 신고서.

비와 함께 모기떼도 돌아왔다. 아내는 우주 비행사가 될 뻔했던 남자가 준 살충장치를 꺼낸다. 다락에 아직 몇 상자나 있다. 난 좀 더 능률적이 되어야 해, 그녀는 생각한다. 남편은 오래전부터 가지고 있는 망원경을 설치한다. 여기 오니 빛공해 같은 건 거의 없다. 아내는 하늘을 올려다본다. 세상 누구도 아쉬워하지 않을 만큼 별들이 지천으로 떠 있다.

어느 날, 딸이 학교에 가 있는 동안, 남편과 아내는 영화를 보려고 차를 몰아 인근 시내로 간다. 가는 길에 홀리데이 인 익스프레스를 지나친다. 아내의 몸이 굳는다. "왜 그래?" 남편이 말한다. 그녀는 그곳을 가리킨다. "저기 중 한 곳에서 내 인생 최악의 밤을 보냈어." 남편이 멍한 표정으로 그녀를 바라본다. "홀리데이 인 익스프레스에서?" 그들은 차를 몰아 좀 더 간다. 그가 손을 뻗어 그녀의 손을 잡는다. 이제 그들 양편엔 농가들만 보이고 상가는 없는 것을 보니 어디선가 길을 잘못 들어선 것 같다. 아내는 창밖을 내다본다. 개 한 마리가 들판을 가로질러 달려간다. 짙은 색 털이 빛 속에서 헝클어진다.

41

아내는 남편을 볼 때 냉랭한 표정을 짓지 않으려고 애쓰지만, 뜬금없이 그가 뼛속까지 중서부 사람이라는 사실이 마음에 걸린다. 가족으로서 건전한 것, 가령 보드게임이라도 다 함께 하면 그가 얼마나 좋아하는지. 딸을 데리고 외출하는 것마저 하나에서 열까지 교육적이기를 진심으로 바라는 그. 언젠가 주말에 그들 가족은 어느 지하 동굴에 가고, 그녀는 그가 아이에게 석회암이 무엇으로 이루어져 있는지에 대해 설명해주는 말에 귀를 기울인다. 수업 끝, 그녀는 속으로 말한다.

그날 밤, 아내는 자리에서 일어나 딸의 방으로 가서 잔다. 만약 그가 물으면 딸이 찾아서라고 거짓말할 수 있다.

투쟁 혹은 도피.* 그녀는 생각한다. **투쟁 혹은 도피.**

그래도 그녀는 얼마 전부터 그가 다시 자신을 사랑하는 것 같다는 데 주목한다. 적어도 조금은. 요새 그는 늘 그녀를 쓰다듬고 얼굴에 흐트러진 머리칼을 뒤로 넘겨준다. "고마워." 어느 날 밤 함께 마당에 앉아 있는데 그가 말한다. 마치 그들이 모두 자동차 밑에서 옴짝달싹 못하고 있는데, 그녀가 불가해한 힘을 끌어 모아 차를 움직인 것 같다는 투다. 그는 그녀에게 키스한다. 그때 뭔가, 파르르한 떨림인지도 모를 어떤 것이 느껴진다. 그러나 이내 그녀의 귀에 살충장치가 돌아가는 소리가 들린다. 즈즈즈프트. 즈즈즈프트. 즈즈즈프트. "우릴 절벽으로 몰아 떨어뜨리지 말지 그랬어." 그녀가 말한다.

---

* 위협 앞에서 자동적으로 보이는 생리적 각성 상태를 의미하는 것으로, 정식 용어는 '투쟁-도피 반응(fight or flight response)'이라고 한다.

42

아내는 매일 아침 딸이 학교에 가기 전에 머리를 땋아준다. 잠자기 전에는 남편이 딸에게 《빨간 머리 앤》을 읽어준다.

남편과 아내 둘 다 딸 때문에 걱정이다. 밤이 되면 딸은 제일 좋아하는 인형에게 긴 편지를 쓰고, 그런 다음에 제 침대 밑에 숨겨둔 클리넥스 상자 안에 넣어 부친다.

딸에게 왜 우느냐고 물으면 아이는 "물어보지 마"라고 말한다.

남편이 딸에게 휘파람 부는 법을 가르쳐주기로 한다. 아내는 둘이 뒷마당에서 휘파람 부는 소리에 귀를 기울인다.

아내는 아직도 만약의 경우를 대비해 계획 B를 염두에 두고 있다. 아미시*로 개종하면 돼. 아미시들과 마주칠 때마다 그녀는 생각한다.

그들은 딸의 생일 선물로 강아지를 들이기로 한다. 딸은 신나 어쩔 줄 몰라 하지만, 이는 결정적으로 아내를 미치기 직전까지 몰고 간다. "다시 갖다주면 안 되나요?" 정신과 의사는 예상한 것보다 더 다급해하며 말한다. "다시 갖다줘요!" "안 돼요." 아내는 말한다. 강아지는 딸에게 행복을 주는 유일한 존재인데. "강아지를 케이지에 가둬놔야 할 거예요." 의사는 말한다. "자주."

가끔 남편은 불쏘시개를 찾으러 나간다고 말한다. 그러나 나중에 아내는 그가 멀리 떨어진 들판 끝에서 줄담배를 피

---

* 미국의 종교집단. 현대의 기술 문명을 거부하고 그들만의 부락에서 소박한 농경생활을 한다.

우고 있는 것을 본다.

그녀는 여전히 전 애인을 생각할 때가 자주 있지만 에테르 속에서 그를 찾아다니지는 않는다.

어느 날 아침 아내는 강아지를 데리고 산책을 나선다. 놈은 앞서 튀어나가더니 이윽고 도깨비바늘을 잔뜩 뒤집어쓰고 돌아온다. 그녀는 그것들을 떼주곤 녀석을 다시 놓아준다. 이곳의 하늘. 여기 오기 전까진 하늘이 얼마나 넓은지 잊고 살았었다. 강아지가 있는 곳까지 가보니, 놈이 뭔가 죽은 것을 먹고 있다. "버려!" 그녀는 말한다. "버려! 버려!" 녀석은 그것을 땅에 떨어뜨리고는 그녀를 보며 꼬리를 흔든다. 하지만 나중에, 다시 그곳으로 달려가 그 주변에서 뒹군다.

마시지 마. 생각하지 마.

아내와 남편은 강아지에게 예방주사를 맞히러 동물병원에 간다. 또다시 홀리데이 인 익스프레스를 지나친다. 이번에 그녀는 용케 말하지 않고 넘어간다. 그리고 그런 자신을 그가 의식하는 것이 느껴진다. 잠시 후, 그가 라디오를 켠

208

다. 강아지가 핸들을 핥는다. 수의사 앞에서 강아지가 의젓
하게 구는 것에 그들은 놀란다. 바닥에 오줌을 싸지도 않고
자기 몸을 붙잡는 손을 물지도 않는다. 그러나 나중에 집에
와서는 뒷다리로 서서 변기 물을 마신다.

그날 밤 아내는 속수무책으로 손을 파들파들 떨어댄다.
그녀는 도망치려고 어두운 들판으로 나간다. 그러나 딸이
그녀를 보고 따라온다. "엄마!" 딸이 부른다. "엄마! 어디
가?"

그래서 그녀는 의사가 처방해준 약을 먹는다. 손 떨림이
멈춘다. 길거리에 드러눕고 싶은 생각도 덜하다. 그러나 그
녀의 뇌는 여전히 찌그러지고 있다. 그녀는 마을 두 개를 지
난 곳에 있는 어느 상점 주차장까지 가서 얼굴을 핸들에 묻
고 광대처럼 울어댄다.

43

이제 아내에겐 작은 방이 생겼다. 정원이 내다보이는 방이다. 그녀는 현재 쓰고 있는 책에 관해서 잊지 않도록 메모를 한다. 우는 장면이 너무 많음.

어느 날 남편은 창밖에서 그들을 쳐다보고 있는 마멋 한 마리를 발견한다. 이 동물의 다른 이름이 '휘파람 돼지'라는 것을 알고서 그들은 더없이 즐거워한다.

입만 열면 집에 가고 싶다고 말하던 딸이 최근 들어 아주 달라졌다. 지금 아이는 마당 저쪽 끝 구석에서 뭔가를 쌓아

올리고 있다. 그들은 딸이 무거운 돌들을 들고 잔디밭 너머로 가서 한 무더기로 쌓는 것을 지켜본다. 하루하루가 흘러가지만 무엇이 만들어질지는 미지수다. 가끔 아이는 생각을 바꾸고 모든 것을 수십 센티미터가량 오른쪽이나 왼쪽으로 옮긴다. 일종의 놀이를 하는 것 같다. 그들은 그 놀이를 '뒷마당의 강제 노동 수용소 놀이'라고 부른다.

남편과 아내는 서로 봐주지 않기로 한 방식으로 속닥거리며 싸운다. 그녀는 그에게 비겁한 새끼라고 말한다. 그는 그녀에게 나쁜 년이라고 말한다. 하지만 그 방면에서 그들은 여전히 어설프다. 한참 싸우다 한쪽이 꼬리를 내리고 상대에게 쿠키를 주거나 술을 마시자고 제안할 때가 가끔 있다.

그리고 어느 날 아내는 홀리데이 인 익스프레스를 지나치고 나서도 몰랐음을 깨닫는다. 슬슬 그냥 예전의 의미 없던 호텔로 되돌아갈 모양이다. 그녀가 일어섰다가 앉았다가, 결국 무릎을 꿇고 침대커버 위에 손바닥을 얹었던 곳이 아니라. 하느님, 괴물님, 하느님, 괴물님. 그날 밤 그녀는 기도했었다. 약물 중독자처럼 부들부들 떨면서, 해가 서서히 다시 떠오를 때까지.

릴케의 말. 단언컨대 모든 예술은, 위험에 직면했던, 하나의 경험을 돌아올 수 없는 극한까지, 누구도 더 갈 수 없는 막다른 지경까지 밀고 갔던 사람이 빚어낸 결실이다.

44

배가 고프다. 뭔가 맛있는 걸 먹고 싶다. 맥주 한 잔, 아니면 담배 한 대. 나는 욕망으로 가득한 지구로 되돌아왔다. 공기 맛이 달다.

한 일본인 기자가 우주정거장에 갔다 돌아온 후 한 말이다.

아침에 아내는 개를 밖으로 내보낸다. 어이! 다람쥐야! 어이! 나무야! 어이! 똥 덩어리야! 어이! 어이! 어이!

부부는 함께 개를 씻기고, 수건으로 부드럽게 몸을 닦아 준다. 그런 후 아내는 피넛버터 한 스푼을 떠주곤 개가 핥아

먹는 것을 지켜본다.

에밀리 디킨슨의 말. 생계는 이미 책을 압도했다. 오늘 나는 버섯 한 개를 죽였다.

남편이 그랜드피아노를 산다. 그가 아무리 오래 쳐도, 아무리 크게 쳐도 시골에선 누구도 신경 쓰지 않는다. 그는 딸에게 손가락 몇 개로 피아노 치는 법을 가르쳐준다. 그러나 딸은 그보다는 캔디 한 봉지를 포장하거나 나무에 오르는 게 더 좋단다.

그는 아내를 위해 아름다운 곡을 작곡한다. 〈우주를 노래하다〉가 제목이다. 그녀는 그가 잠들고 난 야심한 시각에 가끔 그 곡을 듣는다. 그러면서 예전의 그 라디오 방송을 떠올리며, 그 여자가 아직도 그 프로그램을 들을까 생각한다.

오랫동안 아내는 그 여자에게서 편지를 한 통 받을 거라고 생각했었다. 하지만, 당연히 아무 기별도 없다.

아내는 쌍안경을 들고 뒷마당에 앉는다. 그녀는 요즘 새에 관해 공부하고 있다. 지금까지 울새, 참새, 굴뚝새를 보았다. 목이 초록색인 벌새도 보았다. 날개깃이 빨간 검은 새의 이름이 뭔지 알고 싶다. 그녀는 고개를 들어 그 새를 본다. 그 새의 이름은 '붉은 깃 찌르레기'다.

안녕하세요.
그 사람 아내 되는 사람이에요.

대신 그녀는 철학자에게 편지를 쓴다. 그는 소노란 사막에 가서 살고 있다. 거기서 그는 60종의 선인장을 기르고 3개 국어를 말하는 한 시인을 만났다. 그래. 그의 아내는 말한다. 그래. 거기 계속 살아. 그녀는 그에게 '붉은 깃 찌르레기' 얘기를 한다. 한 대상의 이름을 안다는 것은 뜻 깊은 일이기에.

생전의 내 형은 새들을 보면 자길 용서해달라고 빌었어. 바보 같지만 그게 옳아.

나뭇잎들은 이제 거의 자취를 감추었다. 딸은 낙엽들을 책 사이에 끼워넣고 있다. 남편은 밖에서 장작을 패고 있다.
(그러니 적어도 새들에게 빌어. 저 새대가리들한테 빌라고.)

45

이곳의 날씨는 극장이다. 그들은 침대에 누워 창밖의 날씨를 관람한다.

아이작 싱어*의 말. 수천 년 전 양모로 짠 옷을 벗다가 불꽃이 튀는 것을 본 사람들은 무슨 생각을 했을까요?

아내가 침대에 계속 누워 있도록 남편이 스토브에 장작

---

* 이디시어로 작품 활동을 한 미국의 작가. 1978년 노벨문학상을 받았다. 대표작으로
《원수들, 사랑 이야기》가 있다.

을 넣어준다. 그는 장작을 더 가지러 밖으로 나간다. 하늘을 보니 눈이 올 것 같아, 그가 말한다.

성 안토니오는 참담한 절망에 괴로워하다가 구원을 달라고 기도를 올렸다. 그러자, 올바른 정신으로 모든 육신의 고초를 이겨낼 때 비로소 해방되리라는 말씀이 돌아왔다.

저녁 식사를 하면서, 아내는 남편이 딸에게 먹일 사과의 껍질을 흠 잡을 데 없는 나선형으로 깎는 것을 지켜본다. 그런 후 시험지를 채점하다가 한 학생의 작문에서 우연히도 그와 똑같은 이미지를 발견한다. 아버지와 딸, 사과, 스위스 아미 나이프. 실로 섬뜩하다. 아름다운 글이다. 그녀는 학생의 이름을 확인하지만 어디에도 적혀 있지 않다. 리아, 그녀는 생각한다. 리아가 분명하다. 그녀는 나가서 남편에게 그 글을 읽어준다. "내가 썼어." 남편이 말한다. "당신이 눈치채나 보려고 시험지들 사이에 슬쩍 껴놓은 건데?"

이큐 선사禪師가 지고의 덕을 정수만 걸러내 글로 써달라는 청탁을 받은 적이 있었다. 그는 딱 한 단어만 썼다. 집중.
방문객은 실망했다. "이게 전부입니까?"

이큐는 그의 뜻을 받아들였다. 이제 두 단어가 되었다.

집중. 집중.

요새도 가끔 아내는 남편이 잠든 모습을 지켜본다.

요새도 가끔 아내는 한밤중에 남편의 머리칼을 쓰다듬는데, 그러면 그는 잠결에 그녀 쪽으로 돌아눕는다.

딸이 아메리카 원주민처럼 얼굴에 색칠을 하고 신이 나서 숲속을 뛰어다닌다.

랍비의 말. 세 가지 것에 세상의 풍미가 깃들어 있으니, 바로 안식일과 태양과 부부애夫婦愛다.

46

눈이 내린다. 마침내. 세상은 망연히 아름다워 보인다. 우리는 개를 데리고 밖으로 나간다. 녀석은 우리보다 앞서 달리며 순백의 설원에 오줌길을 만든다. 우리는 길 쪽으로 걷는다. 스쿨버스는 일찍 올 때도 있고 늦을 때도 있다. 나뭇가지엔 얼음이 매달려 있고, 느닷없는, 맵찬 바람이 동쪽에서 불어온다. 개가 목줄을 끌면서 나타난다. 우리는 우편함 옆에서 기다린다. 한두 그루의 나무에 아직도 이파리들이 달려 있다. 당신이 손을 뻗어 하나를 따선 내게 보여준다. "탈선한 나뭇잎이야." 당신은 말한다. "보여?" 당신이 잎을 내 호주머니에 넣을 때 나는 가만히 있다.

노란 버스가 와서 선다. 문이 열리고 딸이 종이와 끈으로 만든 것을 들고 서 있다. 예술 작품이라고, 딸은 생각한다. 과학 시간에 만든 건지도 모른다. 눈이 다시 내리고 있다. 보드랍고 촉촉한 눈가루가 당신의 얼굴 위로 내려앉는다. 바람 때문에 눈이 시리다. 딸은 구겨진 종이 작품을 우리에게 넘기곤 달려간다. 당신은 멈춰 서서 나를 기다린다. 우리는 딸이 점점 작아지는 걸 지켜본다. 젊을 땐 누구나 어느 하나의 이름도 알지 못한다.

가정. 그 소리 없는 진앙에 선
한 여자의 이야기

그녀는 소설가다. 스물아홉 살에 첫 소설을 발표한 그녀
의 꿈은 괴물예술가가 되는 것이었다. 그래서 그녀는 결혼은
절대 하지 않겠다고 결심했었다. 그러나 그녀는 운명처럼 낭
만적인 한 남자를 만나고 그와 결혼한다. 딸을 낳는다. 육아
와 생계를 위한 일을 해나간다. 온 집안에 이가 들끓기 시작
한다. 어느 날 남편의 외도를 알게 된다. 박살난 가정을 지키
기 위한 분망한 노력과 소소한 성과의 과정이 시작된다.

《사색의 부서》의 작가 제니 오필은 1999년 《Last Things》
를 발표하며 소설가의 길에 들어섰다. 그리고 2014년에 두

번째 소설 《사색의 부서》를 발표했다. 무려 17년 만에 복귀한 작품이라기엔 (그 사이에 동화를 몇 편 발표하긴 했지만,) 분량도, 소재도 사소하기 짝이 없다. 오필 본인조차 "다른 사람한테 이 소설의 얘기를 들었다면, 난 절대 읽지 않았을 것이다."라고 말했을 정도다.

그러나 이 예상 가능한 드라마는 처음부터 예상할 수 없는 방향으로 흘러간다. 이야기는 연대기 순으로 흘러가지만 한 단락이나 그 이상의 단락으로 호흡을 끊으며 진행된다. 화자의 시점도 일정하지 않고 '나'에서 '아내the wife'로, '그녀'로 이동을 거듭한다. 그녀 안의 그녀들이 이야기하는 가정생활은 인습적으로 익숙한 내러티브와는 거리가 멀다. 그보다는 섬세하고 지적이지만 무기력증에 시달리는 기혼여성이 가끔씩 트위터에 올린 일기를 모아놓은 것처럼 보인다.

간간이 예이츠와 릴케 같은 시인을 비롯해 비트겐슈타인, 불교 선사의 일화까지 다양한 경구들이 인용되고, 자조적이거나 아이러니한 농담들이 등장해 지적이고 성찰적인 단상의 성격을 더해 준다. 그러면서 동시에, 파편적이고 다소 자폐적인 태도로 메시지를 바로 전달하길 저어하는 것 같은 내러티브를 비교적 일관된 목소리'들'로 수렴한다. 바로, 독립적인 세계를 나름대로 구축한 여성이 자신의 욕망과 사회적 요구를 절충해 설정한 역할들 사이에서 길항하고 있음을 알리는 목소리들이다.

괴물예술가가 되고자 했던 여자. 사랑의 행복 앞에서 그 꿈을 잠시, 기꺼이 유보했던 여자. 한 번의 유산 끝에 얻은 딸아이의 존재 앞에서 순수하고도 원초적인 에너지를 얻는 여자. 그러나 지난한 육아와 고요하게 위태로운 가사노동 속에서 자신의 명철했던 의식이 무의미하게 분쇄되는 것을 느끼는 여자. 꿈을 가진 자신을 조롱하는 듯 허무맹랑한 부자의 유령작가가 된 현실에 자조하는 여자. 그런 자신에게 엄마로서, 아내로서 죄책감을 느끼는 여자. 그리고 마침내, 남편의 외도 앞에서 분열과 히스테리에 시달리는 여자. 그러나 신열에 들뜬 자기를 끝내 자기 안의 명징한 언어로 씻어내려는 여자.

제니 오필은 극기에 가까울 정도로 절제된 언어와 시적인 감수성으로 해묵은 통속소설을 인상적으로 내파한다. 그리고 허다한 일상, 그 조용한 재난만큼 실존을 위협하고 파괴하는 것은 없음을 그 가운데 선 한 여성을 통해 이야기한다. '사색의 부서'는 그런 그녀의 목소리가 여러 겹으로 반향되는 극장이다. 그 목소리는 말을 걸고 있는 것 같지만 기실 '자문'하는 것 같고, '나'를 가장 절박하고 위태롭게 드러내야 할 대목에서 오히려 3인칭 시점으로 멀어지기를 택하며, 비난이나 비판이 온당할 순간에 자조나 자성으로 먼저 기우는 것처럼 보인다. 그리고 폐허를 덮는 눈처럼, 오롯하게 제 힘으로 선다. 그런 의미에서 오필은 도로시 파커부터 제니퍼 이건까지 이어져오는 여성작가들이 실험하고 성취해낸 진실, 즉, 다양한 종속적 상황을 단일하고 고정된 시점에서 벗어나 다초점에서, 다층적으로 조명한다.

2016. 10. 최세희